1時間分の成果を10分で出す!

超ズル賢い勉強法

Yabuta Takayuki
藪田崇之

ビジネス社

はじめに

コロナ禍による勉強の遅れも簡単に取り戻せる！

ご存じのように、世の中にはいわゆる「勉強本」が数多くあります。私もそうした本に目をとおすたびに、「なるほど〜。こういう勉強法もあるんだ！」と感心させられることが多々ありました。

しかし、同時に疑問もわいてきたのです。

「たしかに面白いけど、じゃあ、この勉強法を本当に実践できるの？」と。

当然のことながら、「勉強法」というからには、自分ひとりで手軽にできなければ意味がありません。まして本代、つまりお金を出して習うわけですから、なおさら簡単であるべきです。

「もっと、やさしくて誰でもできるような勉強法はないかなぁ……」

常々、そう考えていた私は「ないなら自分でつくってしまえ！」と、司法試験勉強をきっかけにオリジナルの勉強法を編み出しました。そして、そのおかげで**司法試験**

に一発合格することができたのです。

そんな私の勉強法は、大きくふたつに分けることができます。ひとつは大学進学までの勉強法＝**「しくじり勉強法」**、そして、もうひとつは司法試験に受かるまでの勉強法＝**「1時間分の成果を10分で出す超ズル賢い勉強法」**です。

初めに断っておきますが、正直、私は「勉強」が好きではありません。恐竜の世界をきわめる、サッカーについて知り尽くすといった、自分の大好きなことを突き詰める「勉強」は、楽しいに決まっています。しかし、ここでいう「好きじゃない勉強」とは、宿題、受験勉強、レポート、資格試験対策などなど「義務的にやらなければならない勉強」のこと。

小中高と進級するにつれて、必要とされる「やりたくない勉強」の量も増大していきます。それに対応するために、私は次のような思考回路で勉強しました。

「勉強しなきゃいけない範囲が増えているから、当然、時間を確保しないと」

⬅

「でも、遊びにも部活にも力を入れたいから、とにかく短時間で量をこなそう」

⬅

「となると、知識を覚えないと。とりあえず何も考えずに暗記、暗記！」

このやり方で、高校進学まではなんとかなったのです。

私が合格した高校は県内有数の進学校だったので、「自分は、そこそこできる」と思い込みました。そうであるからこそ、自身の勉強法も正しいと信じたのです。

しかし当然のことながら、暗記一本やりの「しくじり勉強法」では、理解力や思考力は一向に身につきません。その結果、**難関、有名大学に次々と合格していく同級生を尻目に、現役、一浪、ともに第一志望に落ちまくり**ました。

さらに、ようやく入った大学でも、サークル活動に熱中するあまり、成績はガタ落ちとなります。

「このままでは、人生ヤバい……」

ようやく目が覚めた私は、無謀にも司法試験を受けることを決めました。そして、自分自身のこれまでを振り返り、ひとつの答えに行き着きます。

それは、とりわけ高校時代に周りに掃いて捨てるほどいた**天才、秀才と呼ばれる人を相手に、まともに勉強したところで勝ち目はない**ということ。だからこそ、**時間当たりの効果を最大化することこそが大事**だということに思い至ったのです。


無論、弁護士になるための勉強とは、司法試験に受かるためにやらなければならないもの。つまり、私の大嫌いな「義務的な勉強」です。しかも、これまでとは比べものにならないくらいの量を勉強しなければなりません。


「勉強をしたくないけど、やらなきゃ受からない……」

「ならば、そのイヤになる時間をなるべく短くしないと……」

こう考えた私が、たどり着いた勉強法こそが

「好きなことのために勉強時間を削らず、しかも成果を残す＝徹底した時短の追求」
「目標設定とその達成を積み重ねる＝単なる『勉強やった感』との決別」
「とにかく考える勉強をする＝暗記勉強からの脱却」

という「超ズル賢い勉強法」なのです。

おそらく、学生も社会人も、宿題や課題、遊び、そしてもちろん仕事が忙しく、自分のスキルを伸ばす勉強時間を取るのが、大変難しいと思います。

しかし、本書の勉強法の特徴は、そうした一番の問題である「時間」がなくてもできるということ。いや、むしろ**時間に余裕がない人にこそ効果バツグン**なのです。

いま、子どもも大人も思わぬ新型コロナウイルス騒動で、学校の勉強や自身のスキルを上げるための学習、あるいは資格試験、昇進試験対策などに大きな影響が出ているることでしょう。

遅れを取り戻そうとがむしゃらに勉強する。

それができるに越したことはありませんが、やること、すべきことが山のようにあるなかで、まとまった時間を確保するのは、とても難しいと思います。

だからこそ、ぜひ本書の勉強法をフル活用してください。

アフターコロナは、ますます「自分の力」で目の前の問題を解決していく必要が出てくるはずです。本書は、そんなみなさんを最短、最速でゴールへと導くガイドブックとなることを約束します。

2020年8月吉日

もくじ

はじめに
コロナ禍による勉強の遅れも簡単に取り戻せる！――003

1時間目 勉強はタイムマネジメントさえできればいい！

超ズル賢い勉強法 01
どんなに忙しくても好きなアーティストのライブに行けるのにはワケがある！
「子どものころは時間があったのに」はウソ！――018
目的意識を持つことで、時間が自然と生まれてくる！――021
「忙しくて勉強する時間がない」は、単なる思い込み！――024

超ズル賢い勉強法 02
遊びや趣味を最優先し、そこから逆算して勉強時間をつくり出す！
誰でも「遊んでばかりいるのに、
なぜか勉強ができる人」になれる！――029
思いっきり遊ぶと、
勉強に対するネガティブな感情も吹き飛ぶ――032
勉強に必要な集中力と継続力も遊びで身につく！――034

超ズル賢い勉強法 03
どれだけ好きなことをしても、“隠れ勉強時間”は必ず見つかる！
スケジュール表は「埋める」のではなく「見直す」のが重要！――039
わずか10分のCM時間で1時間分の成果が出せる！――042
世界初「スマホゲームしながら勉強法」の驚くべき効果――046
“一生モノの技術”となる「タイムマネジメント習慣」――049

超ズル賢い勉強法 04
ストップウォッチを使うだけで、“勉強時間の質”まで可視化できる！
勉強の成果＝机に向かっている時間ではない！――054
クセになりがちな「粉飾勉強」に要注意！――058
勉強する場所は「集中力」と「ノイズ」のバランスで選ぶ！――060

COLUMN 司法試験って本当のとこどうなの？ 1――064

2 時間目

勉強は「中途半端」なほうがモチベーションがわいてくる！

超ズル賢い勉強法 05
「ノートづくり」はムダだから、絶対にやってはいけない！
ノートはあとでラクに勉強するために取るもの ―― 068
ノートをつくる、借りるは危険なワナだらけ！ ―― 080

超ズル賢い勉強法 06
「1分切り捨て勉強法」と「ヒマつぶし勉強法」の合わせ技で難問もやすやすクリア！
問題はわからないと思った瞬間、即放置！ ―― 084
切り捨てた問題は、「ヒマつぶし」として振り返るだけでいい ―― 087
「ヒマつぶし勉強法」に必要なアフターケアサービス ―― 089

超ズル賢い勉強法 07
ラクに勉強したければ、ビジュアルこそ大切にしよう！
勉強は見た目が9割！ ―― 092
私が完全に勘違いしていた参考書のしくじり活用法 ―― 094
参考書を持ち運ばないことで計画力がアップする！ ―― 096

超ズル賢い勉強法 08
忙しければ忙しいほど、勉強のことを積極的に忘れてOK!
勉強とのソーシャルディスタンスをキープする! ―― 100
勉強を日課にすると、
いつまでも勉強習慣がつかない! ―― 102

超ズル賢い勉強法 09
いつもいいところで終わるテレビドラマ方式で、やる気の〝無限ループ化〟が実現する!
キリよく終わると
「勉強エンジン」のかかりが悪くなる! ―― 107
中途半端に勉強を区切ると、
次回の入りがスムーズになる! ―― 110
勉強エンジンがアイドリング状態でも頭は働く! ―― 112

COLUMN 司法試験って本当のところどうなの? 2 ―― 114

3
時間目

勉強がはかどらないときは、他人の力をとことん利用しよう！

超ズル賢い勉強法 10
愚者は経験から、賢者は外部リソースのノウハウから学ぶ！
講師の能力をピンポイントで活用する——118
得点を取るノウハウと、解答法のテクニックは別もの——120
先輩のたどった道からゴールへの近道を探り出す——122

超ズル賢い勉強法 11
人に教わるよりも、人に教えたほうが知識は倍速で身につく！
「わかる」と「できる」のあいだには大きな違いがある！——125
知識を自分のものにする最強、最適なやり方——128

超ズル賢い勉強法 12
ネットを使えば勉強の「はじめの一歩」の試行錯誤を回避できる！
ネットは家にいながら自由に使える〝巨大図書館〟——131
ネットにあふれる〝フェイクニュース〟の見抜き方——133

COLUMN 司法試験って本当のところどうなの？ 3——138

4時間目

試験という一発勝負に絶対に負けない戦略

超ズル賢い勉強法 13
試験は時間が限られているからこそ、他人に差をつけることができる！

難易度の高い試験になればなるほど時間が足りなくなる！——144

実は試験は1問目から解いていっても間違いではないが……——148

時間配分ミスを防ぐ「自分ルール」をつくれば安心！——152

解ける問題、解けない難題を瞬時に見分けるトレーニング法——154

超ズル賢い勉強法 14
過去問さえ分析しておけば、合格の可能性はグンと上がる！

時間配分の訓練は過去問でしかできない！——156

試験の傾向をつかめば、勉強時間の〝時短〟につながる！——161

参考書はメジャーなもの1冊以外いらない——164

あの参考書が人気の高いのにはワケがある！——167

超ズル賢い勉強法 15
出題者の意図を読み解けば、さらに高得点をゲットできる！

人によって求める解答は違っている！——170

試験は問われていることに答えるだけでいい——173

5時間目

そもそも勉強なんて目的達成のためのツールにすぎない

超ズル賢い勉強法16 人より1点でも多く取るために、問題の攻め方はこう考える！

難問を解いただけでは、ライバルに勝つことはできない！ —— 176

取りこぼしさえしなければ合格にぐっと近づく！ —— 179

COLUMN 司法試験って本当のところどうなの？ 4 —— 182

超ズル賢い勉強法17 目標が定まった瞬間、勉強は半分終わったようなもの

好きなことに没頭するとチカラも伸びる！ —— 186

ゲーム感覚で楽しむと、勝手にレベルが上がっていく！ —— 188

目標設定のコツは意欲と難易度のバランス —— 192

計画を立てると勉強の指針も明確になる！ —— 195

超ズル賢い勉強法18 好きなことにのめり込むと、勉強のスタート地点が違ってくる！

学習者の理想像は「鉄ちゃん」である！ —— 199

「遊び」こそが、勉強力の基礎となる！――201

超ズル賢い勉強法19
「時短勉強法」を意識するだけで頭の回転がどんどん速くなる！

時間をひねり出すことで論理的思考力が高まる！――204

勉強する前から頭を使っているという驚きの事実――206

COLUMN 司法試験って本当のところどうなの？5――209

おわりに――212

1時間目

勉強はタイムマネジメントさえできればいい！

超ズル賢い勉強法 01

どんなに忙しくても好きなアーティストのライブに行けるのにはワケがある！

「子どものころは時間があったのに」はウソ！

「勉強はしたいんだけど、仕事が忙しいせいで時間がなくて……」

おそらく、勉強をしない理由を聞かれたら、大半の人がこう答えるでしょう。

では、子どものころを思い出してみてください。

子どもにとっての〝仕事〟は、いわば学校から課せられる勉強です。みなさんは放課後、〝仕事〟を終えて帰宅。そして、毎日のように友だちと遊びに行っていたことでしょう。

その一方で、親から「遊んでばかりいないで、勉強もしなさい！」という強烈なひと言もあるので、ずっと遊び続けるわけにもいきません。

遊びの前後や土日に宿題という〝仕事の持ち帰り〟に取り組み、塾という〝スキルアップ講座〟に通い、あるいは読書や予習、テスト勉強といった〝今後のための段取り、リサーチ〟に時間を割いていたはずです。

一体なぜ子どものころは、そのように勉強する時間をつくることができたのでしょうか。

「子どもは時間があり余っているから」
「子どものころはヒマだったし」

ほとんどの人が、こう答えるはずです。

しかし、朝8時過ぎに学校が始まり、午後3時ごろに授業は終わりますが、前述のように「それじゃあ、家に帰って自由に時間を過ごそう」というわけにはいきません。

クラブ活動や部活動、習い事、そして、もちろん友だちとの約束などなど、放課後の活動はたっぷりとあります。ようやく夜、帰宅し晩ご飯。そして、お風呂に入っておやすみなさい……。

つまり、「仕事」と「学校生活」の違いはありますが、子どものころも大人になってからも、生活リズムは実はあまり変わっていないのです。むしろ、「宿題」「予習」「復習」「テスト対策」などが、ほぼマストであったことを考えると、かえって**子ども時代の「拘束時間」のほうが長かった**かもしれません。

このように、みなさんの子どものころも、大人とそれほど変わらず十分忙しかったのです。それなのに、なぜ子ども時代のように、時間のやりくりができないのでしょうか。

答えはきわめてシンプルで、**時間がないのではなく見つけていないだけ**。では、一体どうすれば、子どものときには「あった」のに、大人になったとたん「ない」と思い込んできた〝時間〟を、見つけることができるのでしょうか。

目的意識を持つことで、時間が自然と生まれてくる！

大きく分けると、人は次の４つのことに関して時間を使っていると思います。

①やらなくてはならないこと
②やりたいこと
③やらなくてはならないが、最悪やらなくてもいいこと
④やってもやらなくても、どっちでもいいこと

①は、たとえば学校や仕事の時間です。②は、趣味や遊び、習い事の時間。③は、宿題や勉強、スキルアップの時間。そして④は、ツイッターのタイムラインをただ眺める、インスタグラムにアップされた画像やユーチューブの動画を何も考えずに見るといった、いわゆる「ダラダラ時間」となります。

1日の時間のなかで、最優先に使われるのは当然①の「やらなくてはならないこと」に対してです。そして、あまった時間で②③④をこなしていきます。

ですから「忙しい」というワードは、①が占める割合が多い場合に使われるでしょう（子どもの場合は、習い事の②も含まれるのかもしれませんが）。つまり、②③④は忙しいことを理由に時間を「確保できない」ということになります。

しかし不思議なことに、**多くの人は忙しくてもなぜか②の時間を確保している**のです。たとえば、自分が好きなアーティストのライブチケットがゲットできたとしましょう。すると、たとえ仕事がどんなに忙しい状況でも、なぜかライブに行く時間を確保できてしまうわけです。

これは、ひとえに「なんとしてもライブに行きたい！」という強い熱意があるから。それによって、仕事のスピードが加速するでしょうし、あるいは「仕事なんて明日やればいいや！」という〝開き直り〟を、力強く後押しすることもあるでしょう。

先の①〜④の視点から見れば、おそらく**②＝ライブに行く時間を確保するために、普段④＝「やってもやらなくても、どっちでもいいこと」に消費されている時間を①に充てたり、①の時間をできるだけ効率よく終わらせたりしている**といえます。しかも、これらのタイムマネジメントを、ごくごく自然に行っているはずです。

ところが、③の「やらなくてはならないが、最悪やらなくてもいいこと」のための時間はそうはなりません。忙しさは同じはずなのに、②の時間は確保できて③の時間は確保できない。なぜなのでしょうか。

答えは目的意識の差です。

②に関しては、「絶対にライブに行く！」という強い目的意識があるからこそ、それを達成するために自然とタイムマネジメントをして時間を確保することができます。

しかし、③に関しては、「メンドーだから、やらなくてもいいっか」というモチベーションの低さゆえに、そもそも、それを達成するために時間のやりくりをしてみようという気すら起きないのです。

このように考えると、**「忙しいから○○できない」という思考の原因は、時間の有無ではなく、目的意識の低さにある**ということがわかるのではないでしょうか。反対に、**忙しくても目的意識を持つことができれば、誰でも自然とタイムマネジメントができる**ようになるのです。

「忙しくて勉強する時間がない」は、単なる思い込み！

もうひとつ、時間をつくり出すために重要なのは④、つまり「ダラダラ時間」をしっかりと認識することです。

この「1時間目」の冒頭で、「子どものころだって忙しかったにもかかわらず、勉強の時間はきちんと確保できていたのでは？」と述べました。ところが、なかにはこう反論する方もいるでしょう。

「私は子どものころだって十分忙しかったし、そのせいで勉強する時間も満足に取れなかったんですけど……」

わかります。

私が、かつて学習指導塾で講師をしていたころ、生徒からよく同じような言葉を聞きました。しかし、実はその思考はたいがい〝思い込み〟なのです。

私が学習塾で指導を担当していたひとりに、小学生のA君がいました。あるとき、彼が宿題をやってこなかったので、その理由を聞いてみると、A君はこう答えました。

「習い事が忙しくて、宿題をやる時間がありませんでした……」

話を聞くと、たしかに学校終わりに毎日習い事が入っており、忙しいことはわかりました。つまり、②の「やりたいこと」に時間を費やしていたのです。

これは、とても素晴らしいこと。なぜなら**「やりたいこと」だけをやって1日が終わるというのは、その日がこれ以上なく充実している証し**ですから。

ただし、同時に疑問が。

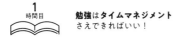

子どもであれ大人であれ、本当に「やりたいこと」をやるだけの毎日を送っている人などいるのでしょうか。おそらく、まずいないでしょう。

しかも、そもそも私が出していた宿題は、せいぜい1時間もあれば終わるレベルのもの。そこで私は、毎日のタイムスケジュールを事細かに聞いてみました。

すると、学校から習い事が終わるまではスムーズに言えたのですが、家に帰ったあとのことに関しては、急に「えーと、うーんと、モゴモゴ……」と何をしていたかあいまいになっていきます。

これは、どういうことなのでしょうか。つまり帰宅後、A君は**思い出そうとしても思い出せないくらいどうでもいいことに時間を費やしていた、つまり④の「ダラダラ時間」を過ごしていた**ということなのです。

そこで、私は時間をどう意識すべきか、A君に改めて説明しました。

「宿題をしないと、ボクが今日教えたことを忘れちゃうでしょ。そうすると成績もなかなか上がらないよね。しかも1時間くらいで終わる量だし。そう考えると、家に帰ってからのどこかのタイミングで、宿題できたんじゃない?」

するとA君は納得したようで、「うーん、よく考えてみたらできたと思う……」と答えました。そして次の週からは、しっかりと宿題をやってくるようになったのです。

このように、**時間の確保に関するポイントは、そのあるなしではなく、「忙しさ」の中身をどうとらえるのかということ**。先ほども述べたように、「忙しい」というのはポジティブに考えれば日々充実していることの証しです。

しかしながら、本当にやるべきことに追われて忙しいのか、あるいは④の「ダラダラ時間」をついつい過ごしてしまい、結果として時間がなくなってしまったのか、きちんと確認するのが重要なのです。

それをせずに、**時間がないとすぐ「忙しいから○○できない」と考えてしまう思考習慣こそが〝諸悪の根源〟**だといえるでしょう。

先の学習指導塾時代の教え子A君の例でいえば、宿題をやらなければならないのはわかりつつも、心のどこかで「できればやりたくない。やらなくてもなんとかなるかな」と考えていました。

その低い意識のせいで「時間のなさ」ばかりに目が向いた結果、「自分は忙しい」と勘違いしてしまっていたのです。

しかし、宿題の持つ本当の意義を知り、これをどこかでやっておいたほうが自分のためになるという意識をもって、自身のタイムスケジュールを振り返ってみると意外と時間があることがわかったA君。それからは何も指示しなくても、自分でタイムマネジメントをして宿題をやってこられるようになったのは、前述したとおりです。

忙しくても時間はある。本当にやるべきことは何なのか、立ち止まって考えてみる。

こうした意識を忘れずに、忙しいなかでも、いや忙しいなかでこそ自分のスケジュールを常にチェックする習慣が身につけば、必ずや効率的に時間を使えるようになります。

では、「忙しい」を逆手にとって、どのように自分自身に役立つ時間の使い方をマスターすればいいのか。順次説明していきましょう。

超ズル賢い勉強法 02

遊びや趣味を最優先し、そこから逆算して勉強時間をつくり出す！

誰でも「遊んでばかりいるのに、なぜか勉強ができる人」になれる！

学生時代、周りを見渡してみると、遊んでばかりいるのになぜか勉強ができる人がいませんでしたか。しかし、よくよく思い返してみると、そうした人たちがみな、いわゆる〝天才肌〟であったかといえば、必ずしもそうではなかったはずです。

それにしても当時、私の目には彼らが遊んでいるシーンしか映りませんでした。当たり前の話ですが、それだけでは勉強ができるようになるわけありません。ところが、土日祝など「見えない時間」に勉強に没頭していたわけでもなかったようです。家族で遊びに行った話もよく聞いていましたから……。

では、彼らに一体どんな才能があったのか。いま思い返してみると、彼らは才能、能力がずば抜けて高かったのではなく、むしろ時間にメリハリをつけるのがとてもうまかったのです。

遊びだけ、勉強だけ、という片輪走行では、どちらも実は中途半端、あるいは不完全燃焼で終わってしまいます。これは、私自身、学生時代から司法試験勉強時代にかけて、強く実感したことでした。

大学時代、私は勉強をしなければと思いつつ、実際はサークル活動など遊び方面のみにのめり込む、バランスを欠いた典型的な片輪走行を続けていました。

そしてたまに勉強しようとしても一向に身が入らず、試験前にあわてて暗記一本やりの勉強をするという、まさに「はじめに」でも書いた「しくじり続きの勉強法」を繰り返していたのです。

もちろん、ロースクール（法科大学院）でもそんなやり方を続けていたら、司法試験など受かるわけありません。では、難関を突破するため勉強にだけ集中していればいいのか……。実はそれも間違っているということに、あるとき気づいたのです。

司法試験勉強は基本的に年単位でスケジューリングされるので、友だちと遊んだり、食事に行ったりという「遊びたい欲求」をすべて捨てて、修行僧のように勉強だけに打ち込むと心身ともに間違いなく壊れます。そのため、どうしても息抜きが必要になってくるのです。

それに気づいた私は、息抜きするときには思いっきり遊ぶことにしました。では司法試験の結果はどうなったでしょうか。

実は私だけでなく、**遊ぶときはしっかりと遊んでいた人の司法試験の合格率が低いなどということは、まったくありません**でした。やはり、**メリハリをつけて生活することにより、結果を出せた**のです。

このように、勉強漬けの日々を送るより、ときには全力の遊びも入れたほうが、かえって成果が得られます。また、そう考えると、勉強も楽しくやれそうな気がしてくるのではないでしょうか。

しかも、メリハリもさることながら、遊びにはもうひとつ、勉強をさらにドライブさせる重要な要素があるのです。

思いっきり遊ぶと、勉強に対するネガティブな感情も吹き飛ぶ

基本的に勉強に対しては、みなさん「嫌い」「やりたくない」といったマイナスな感情を抱きがちではないでしょうか。

なぜ、そのような〝嫌悪感〟を覚えるのか。それは、〝時間〟という観点から見ると、**勉強せざるをえないことによって、好きなことをするヒマが奪われてしまう**からだと思います。

もちろん、そもそも学校から「やれ！」と言われてやるような勉強に興味など持て

ない人が大半でしょう。興味がないことをするだけでも大変な労力であるのに、そのために好きなことをする時間まで制限されれば、勉強を嫌いにならないほうがムリというものです。

こうなると、あとは「勉強しろ！」→「ますます勉強なんて嫌い！」の無限ループとなってしまいます。この負のスパイラルにどっぷりとハマってしまうと、もはや逃げ出せなくなりますから、なんとか断ち切らなくてはなりません。

だからこそ、必要なのが遊び、息抜きなのです。

P21で述べた①〜④の時間の使い方のうち「好きなアーティストのライブに行く！」「東京ディズニーランドで遊ぶ！」といった②の「やりたいこと」をときに優先させ、思いっきり遊ぶ。

そうすれば、**「勉強で好きなことをやる時間が制限されてしまう……」というストレスからも解放されますし、勉強がどんどん嫌いになる「負のスパイラル」からも抜け出せる**わけです。

しかも、そうした「遊び」という目標があることにより、勉強へのモチベーションも自然と上がります。「勉強しないと……」という気持ちだけでは、学び続けることはできません。

それよりもむしろ**「遊び」を優先し、そこから逆算してあまった時間を勉強に回すという、〝本末転倒〟の思考法で時間をとらえ直すことのほうが大事**。こうなると、勉強の大敵である〝嫌悪感〟も、自然となくなっていくのです。

勉強に必要な集中力と継続力も遊びで身につく！

遊びの効能をここまで説いてもまだ、「遊びを勉強に優先させるなんて、どう考えてもムリじゃない？」と思われる方も多いはず。いや、ほとんどの人がそう思っているに違いありません。

そうした方に、もうひとつ遊び、趣味、自分の好きなことを思いっきり楽しんだ人だけが得られる、大きなメリットを紹介しましょう。

当然と言えば当然ですが、勉強をするためには、さまざまな「チカラ」が必要です。たとえば集中力や持続力、あるいは観察力や分析力、そして記憶力、情報収集能力や判断力などなど……。

そうした**「チカラ」も、実は遊びで養うことができる**のです。

なぜ、そうなのか。例を挙げて説明しましょう。

たとえば、東京ディズニーランドやユニバーサル・スタジオ・ジャパンで、とことん遊ぶとします。

ただし、行ったことがある方なら非常によくわかると思いますが、**「なんとなく遊んでみようか」といった〝甘い気持ち〟で乗り込んだら、間違いなく痛い目にあう**でしょう。

朝からとんでもなく混んでいますから、遅刻などしようものなら即、命取り。まずはファストパスを手に入れて、いかに効率よくアトラクションを攻略するか、あらかじめ戦略を立てておかなければなりません（情報収集能力）。

ただし、もちろん事前の予想どおりに事は運ばないでしょうから、混み具合やパレードの様子をしっかりとチェックし（集中力、観察力）、食事の時間、当日の天候などを考えたうえ、臨機応変に攻め方を変えていく必要が出てくるでしょう（判断力）。

もちろん、アトラクションに乗っているときは、頭を空っぽにしてただ楽しむだけ。しかし、その楽しみ、感動、興奮を少しでも多く得るためには、並んでいるときなど楽しんでいる時間以外は、常に頭を働かせておいたほうが断然有利なわけです（持続力）。

しかも、一生で1回限りならともかく、これまでも、そしてこの先も、ディズニーランドやユニバーサル・スタジオに行くことも当然あるわけですから、当日の状況を頭にしっかり入れておいて、次回に生かすようにすべきでしょう（記憶力）。

私は子どものころ野球をやっていましたが、こうした**スポーツも勉強に必要な力を**

伸ばす、これ以上ないツールです。

たとえば、このピッチャーはどうしたら攻略できるだろうか（情報収集力）。変化球を投げるとき投げ方が若干変わるな（観察力）。前の打席や前のバッターに対しては、初球ストレートだったが……（記憶力）。配球はストライクを早めに取りにきて、決め球には必ず変化球を使っているようだな（分析力）。よし、初球のストライクを取りにくるストレートに狙いを定めて打とう（決断力）。

このように、**遊びに熱中しているときは、知らぬ間にものすごく頭を使っているの**です。

また、好きなことは毎日やりたくなりますし、上達したくなります。そして、うまくなるためには、地道な練習や分析を継続して行う必要があります。

「やらされる勉強」のように興味がないことを継続するのは苦痛ですが、好きなことをやり続けるのは、まったく苦ではありません。そのため、**好きなことに熱中することは、持続力を養ううえでも最適**なのです。

しかも上達したい、もっと知りたい、もっと楽しみたいという思いがあれば、そうなるよう練習、研究を工夫するようになります。この工夫するという作業においてもまた、当然のことながら頭を使っているのです。

つまり、好きなことにのめり込めば込むほど、脳ミソも使い続けるということになります。

このように、**遊びを優先し、そしてやるときはガッツリと力を入れる。そうすることで、勉強に必要なさまざまな「チカラ」がつくとともに、勉強へのモチベーションも上がり、知らず知らずのうちに時間の使い方にもメリハリがつく。**

これが、「遊び」の持つ隠れたメリットなのです。

超ズル賢い勉強法 03

どれだけ好きなことをしても、〝隠れ勉強時間〟は必ず見つかる！

スケジュール表は「埋める」のではなく「見直す」のが重要！

遊びや趣味、習い事に思いっきり時間を使う。すると、当然、こんな心配が生まれてくるでしょう。

「遊びすぎて勉強する時間がなくなっちゃうのでは……」

しかし、心配しなくても大丈夫です。時間は必ずあります。**考えるべきポイントは、〝隠された時間〟をどう見つけるかだけ**なのです。

では早速、時間の探り当て方を見ていきましょう。

のっけから恐縮ですが、実は時間を見つけるのはとても簡単です。

なぜなら、ちょっと哲学的な言い回しに聞こえてしまうかもしれませんが、隠れている時間は、実はみなさんが見ようとしていないから、ないように思えるだけ。一歩引いて客観的に見れば、そこかしこに〝アキ時間〟は転がっている、いやみなさんが見つけてくれるのを待っています。

ただ、**「勉強したくない」という気持ち＝嫌悪感のせいで、わざと勉強できる時間から目をそむけているにすぎない**のです。

では、実際に時間を客観視してみましょう。方法は実に簡単です。1週間のタイムスケジュールを書いてみてください。

たとえば次ページに載せたような、スケジュール表を簡単でいいのでつくってみましょう。そして、それを改めて確認すると、月曜日の19時以降や火曜日の15時半、あ

勉強時間は探せばいくらでもある！

時刻	月曜	火曜	水曜	木曜	金曜	土曜	日曜
7:00	起床・	起床・	起床・	起床・	起床・		
7:30	身支度	身支度	身支度	身支度	身支度		
8:00	通学	通学	通学	通学	通学		
8:30						起床	起床
9:00							
9:30							
10:00							
10:30						クラブ	
11:00						活動	
11:30	学校	学校	学校	学校	学校		家族で
12:00							お出かけ
12:30							or
13:00							友だちと
13:30						帰宅	遊ぶ
14:00						昼寝	
14:30							
15:00		帰宅					
15:30	クラブ		クラブ				
16:00	活動		活動	友だちと	友だちと		
16:30				遊ぶ	遊ぶ		帰宅
17:00	帰宅	習い事	帰宅				
17:30	風呂						
18:00	食事	帰宅		帰宅		風呂	
18:30		食事			帰宅	食事	
19:00			塾	習い事	食事		食事
19:30							
20:00		TVなど		食事		TV	
20:30			帰宅			YouTube	TV
21:00		風呂	食事	風呂	風呂		YouTube
21:30	就寝準備	就寝準備	風呂		就寝準備		
22:00			就寝準備	就寝準備		就寝準備	風呂
22:30							就寝準備
23:00	就寝	就寝			就寝		
23:30			就寝	就寝		就寝	就寝
0:00							
0:30							

■は優先順位の高いor手間のかかる勉強を！
■は優先順位の低いor単純な勉強を！

たまには夜も息抜きを！

➡ 11時間も"アキ時間"が見つかった!!

るいは土曜日の15時以降のように、意外なほど、あまっている時間が多いことがわかるのではないでしょうか。

1日1日をなんとなく過ごしているだけだと、なかなか時間は見つかりません。しかし、**可視化した途端、思わぬアキが見えてくる**のです。

大半の人が、手帳やグーグルカレンダーを埋めることしか考えていません。ところが、**スケジュールを埋めたあとの「見直し」こそが、自分を磨くために重要なルーティンとなる**ことを、ぜひ覚えておいてください。

わずか10分のCM時間で1時間分の成果が出せる！

もちろん、「スケジュール表を見直してみたけど、時間なんてほとんど空いていないよ……」という人もいるでしょう。あるいは「先週は時間がありあまっていたのに、今週はギッチリ埋まっちゃってるなぁ」という状況もあると思います。

しかし、心配ありません。短い〝合間時間〟を有効に使えば、十分カバーできるのです。

学生の場合、時間割、コマ割りで一見、埋まってしまった時間にも、実はアキがあります。授業の合間の10分間休憩や昼休みはもちろんのこと、授業中ですら実は合間時間が見つけられるのです。

たとえば、授業で行われる漢字の書き取りや計算問題で、早く終わってしまい時間があまってしまったなんて経験は、誰にでもあるのではないでしょうか。そんなときは、ボーっと窓の外を眺めるのではなく、宿題を解いてしまうのです。

宿題として出される課題は、基本的には単純な問題解答がほとんど。ですから、**休み時間や授業の合間時間でも、全部はムリにしても1、2問は解けてしまいます。**

よくよく考えてみればわかると思いますが、そもそも、**「宿題は家でやらなければいけない」という決まりなどありません。**

私自身、学生時代は「授業が終わったら、一刻も早く遊びたい！」という一心で毎日を送っていたので、学校で合間時間を見つけては、できる限り宿題を片づけていました。

その一方で、帰宅後ついついやってしまうのが、ダラダラっとテレビを観てしまうこと。ところが、ここにも実は合間時間が隠されているのです。

それはCM。

1時間番組の合間だと1回につき1~2分程度、番組終了後だと数分、合計10分ほどCMが流れます。

このスキを狙って、勉強をするのです。もちろん「そんな短い時間で、一体何ができるんだ！」とツッコミを入れる方も多いかと思いますが、先ほどの「学校での合間時間勉強法」同様、この「CM中だけ集中勉強法」でも、さまざまな目標が達成できます。

たとえば、宿題でいうなら計算問題などは、解ける解けないは別にしても、1分もあれば数問はトライできるでしょう。最初は慣れないかもしれませんが、算数の計算問題はルーティン作業です。徐々に慣れていけば、着実に計算スピードは上がっていきます。

そうなると、計算問題の宿題や勉強をしっかりと机に向かう時間でやる必要はなくなりますので、結果的に勉強時間を短縮できるわけです。

あるいは、**英単語や難しい漢字、資格試験や仕事で必要な専門用語を覚えることもできる**でしょう。

たとえば英単語でいえば、最初のCM中に単語を見て覚えておき、次のCMのあいだに書いてみる。そして次のCM中に間違えた英単語を見て覚えて、その次のCMのあいだに書き留める。これを繰り返せば、番組が終わるころには英単語のひとつやふたつは必ず覚えられることでしょう。

実は、**CM中という時間が限られている分、脳が集中しますので、そうして覚えた英単語や専門用語などは簡単に忘れることはありません**。

合間の時間を見つけて勉強をすることに慣れてくれば、「勉強の時間」というスケジュールを確保できなくても必要最低限の勉強はこなせます。また、合間合間で瞬時に頭を切り替え、限られた時間で勉強するため、集中力や〝メリハリ力〟が知らず知らずのうちにどんどん養われていきます。

つまり、**合計10分ほどのCM時間だけで、1時間分の成果を出すことも可能になる**ということ。

このように、合間時間での勉強は時間を効率的に使うことができるだけでなく、勉強に必要な能力まで身につくメリットだらけのメソッドなのです。

世界初「スマホゲームしながら勉強法」の驚くべき効果

さらに、私はロースクール時代に、合間時間の有効活用法を進化させました。それが、**勉強と息抜きを両立させた世界初（?）の「スマホゲームしながら勉強法」**です。

前に説明したように、司法試験の勉強は非常に長期間にわたるため、適度に息抜きや休息を取らないと身がもちません。とくに私は、長時間集中することが非常に苦手だったため、その都度その都度、休憩をはさまないと体力、精神ともにもたなかったのです。

その一方で、当時私はあるスマホゲームにハマっていました。自分の性格からいっても、休憩中、まず間違いなくスマホに手を伸ばすことでしょう。そして、自分に甘えてスマホゲームに没頭。結果、勉強時間消滅、という危険性が十分予見できました。

そこで思いついたのが、「スマホゲームしながら勉強法」だったのです。

具体的に説明してきましょう。

私がハマったスマホゲームでは、主人公が行動するのにポイントが必要でした。ポイント1単位が回復するのにかかるのがおよそ10分、ポイントが全回復するのに3時間程度かかります。そこで、その3時間を勉強時間に充てたのです。

自分にとって、ポイントが全回復する3時間という長さが実に絶妙でした。なぜなら、司法試験の過去問は1科目につき制限時間が2時間だったので、2時間で過去問を解き、そのあと解説を読み、復習するとちょうど3時間。そのあいだにポイントが回復しているので、休憩と勉強のバランスがとりやすかったのです。

こうしてスマホゲームの合間に集中して勉強することで、遊びと勉強の両立が可能となり、ストレスが大幅に軽減されました。


もちろん、人によってハマるものは違うと思います。動画、ゲーム、テレビ、SNSなどなど、〝誘惑の魔の手〟はそこらじゅうに転がっているといっていいでしょう。

しかしながら、**どんなコンテンツであれ、1日中途切れることなく流れっぱなしというものはない**はずです。

ですから、私の「3時間ポイント回復待ち」のように、ムリなくメリハリがつけられるルールさえ確立してしまえば、遊びと勉強の両立は簡単にできるようになります。

つまり、P21で紹介した時間の内わけ**①「やるべきこと」と②「やりたいこと」が、同時にクリアできる**わけです。

その結果、勉強の効率が非常にアップするわけですから、これはぜひ試してほしいと思います。

〝一生モノの技術〟となる「タイムマネジメント習慣」

さらに遊びと勉強、どちらも充実させるタイムマネジメント術を説明しましょう。

ここまで、遊ぶ時間から逆算して勉強時間を見つけてきました。そのうえで大事なのが、いつ、どんな勉強をするのか、あらかじめ決めておくということ。

つまり、**時間の〝割り振り〟こそが、勉強と遊びの両立、そして効率化になくてはならない最重要要素**となるのです。

さらに、こうした時間管理は勉強と遊びのみならず、勉強と仕事、仕事と遊び、それぞれの両立にも欠かせません。つまり〝一生モノの技術〟となりますので、ぜひタイムマネジメント習慣を身につけておきましょう。

(1) 勉強の短期、長期それぞれの優先順位を考える

勉強のタイムマネジメントについて、まず考えるべきは短期と長期、ふたつの時間

軸を分けるということ。

比較的短い期間で目標に到達したい場合は、勉強内容、課題を「やらなくてはいけない順」に整理してみます。

たとえば、①明日提出の宿題→②週末までに提出する宿題→③小テスト向けの勉強→④期末試験対策、といったように、やるべき順番、優先順位をつけてみましょう。当たり前のことですが、明日提出の宿題を明後日やったらアウトです。そうした緊急性を、改めて考えてみてください。

一方、**司法試験や昇級試験、各種資格試験の合格を目指す長期的な勉強の場合、デッドライン順ではなく、「自分が時間をかけたい順」に課題を並べる**といいでしょう。たとえば、苦手なジャンルを潰したい場合は、苦手順に手をつけるといったイメージです。

ただし、ここで注意すべきは、**短期、長期を問わず、上位から下位まで優先順位を**

つけた勉強すべてに必ずトライするということ。

なぜならば、「まずは優先順位の下のほうから集中して……」という感じで始めてしまうと、気づけば見つけた時間の大半を最下位だけにダラダラと使ってしまい、勉強効率がかえって悪くなってしまうということも、往々にしてあるからです。

ですから、できる限りやろうと決めた勉強に、ひととおり手をつけてみてください。

ただし、どうしても全部に手が回らないということもあるでしょう。たとえば、短期的な勉強課題で最下位にあった期末試験対策についてほとんどできなかった場合、期末試験で問われるであろう難問の出題文を読むだけでもかまいません。

その結果、読むだけでも解答がわかったら、そのレベルはクリアしているということがわかります。もちろん、わからなければ、次回時間があるときに、そのジャンルを重点的に勉強すればいいわけです。

つまり、**問題文を読むだけでも、目指すゴールから、いまの自分がどれくらい離れたところにいるのかが把握できる**ということ。

このように、すべての順位の勉強に少しでもいいので手をつけることで、常に自分がすべき勉強のプライオリティが一目でわかります。そのため、勉強をどんどん効率化できるというメリットが生じるわけです。

（2）「優先順位」と「時間の割り振り」を組み合わせる

次にやるべきは、勉強の内容を見極めて適切な時間帯に当てはめていくことです。「CM中だけ集中勉強法」でも説明したように、計算問題や英単語の確認といった勉強は、合間の時間に割り当てます。

その際に、**優先順位づけと組み合わせると、さらに勉強が効率化できる**わけです。たとえば、計算問題が明日提出しなければいけない宿題で、英単語の小テストが週末の予定ならば、当然、計算問題を優先的に合間時間に割り振り、あまった時間を英単語を覚える時間に当てるといった具合です。

その一方で、数学の証明問題や国語の読解、あるいは法律や会計、簿記などのような複雑、かつ時間がかかるであろう勉強は、やはり優先順位を考えながら、まとまった時間にやるようにしましょう。

間違っても、短時間でできるような漢字や英単語の学習、専門用語の暗記などに長時間かけないようにしてください。そうなると、勉強全体の効率が下がってしまうのはもちろんのこと、遊びや趣味、息抜きの時間まで奪われてしまいかねません。

ですから、確保できる時間の長さと優先順位を考えながら、**常に勉強時間の割り振りをアップデートする**ようにしましょう。

もちろん、こうしたタイムマネジメントを行うのに、特殊な能力など必要ありません。1週間のスケジュールのなかに隠れている時間を見つけ、優先順位を考慮して高い順に課題を当てはめるだけですから。

P41に掲載した1週間のスケジュールを、もう一度参考にしてみてください。

このようなタイムマネジメントができるようになれば、勉強の効率も上がり、かつ思いっきり自分の時間も楽しめる〝切り替えのプロ〟になれるでしょう。

超ズル賢い勉強法 04

ストップウォッチを使うだけで、〝勉強時間の質〟まで可視化できる！

勉強の成果＝机に向かっている時間ではない！

ここまで、1日の限られた時間をどのように有効利用すればいいのか、ということを説明してきました。そのうえで、もうひとつ忘れてはならないことがあります。それは、**勉強ではなく〝勉強時間の質〟がどうなっているのかということ。**

みなさんに「昨日は、どこで勉強していましたか？」と聞いてみると、大半の方が「自分の机で」と答えることでしょう。さらに「何時間くらい？」とたずねたら、「2

時間くらいかな」といった感じの答えが返ってくるはずです。

では、仮に机に向かっていたのが2時間だとして、本当にそのあいだ、ずっと勉強していたでしょうか。

おそらく**椅子に座って即勉強という人は、ほとんどいない**と思います。

まず勉強の前に「連絡が来ていないかな」とスマホをチェック。LINEのメッセージ通知があったら、返事をする。さらに、途中でネットのニュースをチェック。あるいは、ボーっともの思いにふけっている時間もあったかもしれません。

このように、机に向かっていることと勉強していることは、まったくの別もの。ところが、多くの人がそこをあまり分けて考えていないように見受けられます。**2時間机に向かっているだけで大満足しがち**なのです。

18時に椅子に座ってしばらくたち、ふとスマホの時計を見ると20時過ぎ。すると夕食のことが頭に浮かんだこともあり、「いやぁ、今日も忙しいなか、2時間ちゃんと勉強できたよ」とテキトーに切り上げ、きっちり勉強したと思い込んでしまうことなど、よくあるのではないでしょうか。

机に向かい勉強以外のことをしていたムダ時間のことなど思いもよらず、ただ勉強をしたという満足感にひたる。ところが、いざ試験を受けても、まったく問題が解けない。学校の成績も上がらない。資格試験に何度も落ちる……。

その結果、そうこうしているあいだに、知らず知らずのうちに気持ちが〝ダークサイド〟に落ちてしまうわけです。

「勉強したって一向に成績が上がらないんだから、もう勉強なんてやめーた。どうせ地アタマがよくないんだからさ」と。

これが一番危険なのです。

繰り返しになりますが、2時間勉強したつもりでも、実際はそこまできっちりやっていないのが普通のこと。つまり、**勉強しても成績が上がらない、知識が身につかないのは、勉強をする才能がないからでも、地アタマが悪いからでもなく、ただ単に勉強をしていなかっただけのこと**なのです。

それでも、「私は2時間なら2時間、ちゃんと勉強しているぞ！」という人もいるかもしれません。そこで実際に、自分が何時間勉強しているのか測ってみましょう。

やり方は簡単です。**問題を解いている時間、あるいはきっちりと頭で考えている時間をストップウォッチで計測するだけ**。

実際、私もロースクール時代、「自分はどれくらいの時間、本当の意味で勉強してるんだろう？」と疑問に思うことがありました。

一時期、12時間ほど自習室にこもっていたのです。そこで、勉強している時間を「カチッ」「カチッ」とそれこそ秒単位までストップウォッチで計測したところ、なんと「リアル勉強時間」は6～8時間ほどにすぎませんでした。

お昼ごはんを食べながら勉強したつもりでいましたが、実際にストップウォッチで測ってみると頭を使わずただ食べていただけ。あるいは、軽く睡眠をとったり、なんだかんだ一種の〝サボり〟をしていたので、12時間自習室にいたにもかかわらず、その3分の2、下手すれば半分くらいしか勉強に使っていませんでした。

逆に言うと、明らかに勉強していない時間があったにもかかわらず、12時間自習室にこもっていたという事実に満足感していただけだったのです。

もちろん、机に向かっていた時間に対する実際の勉強時間の〝歩留《ぶど》まり率〟は、人によって変わってくることでしょう（私の場合、とくに大甘だったのかもしれませんし……）。しかしながら、**机に向かっている時間＝100％勉強時間というのは、およそありえない**と断言できます。

クセになりがちな「粉飾勉強」に要注意！

とはいえ、実はこの**机に向かう時間と勉強時間のギャップにこそ、実力アップのための伸びしろがある**のです。

どういうことでしょうか。

スケジュールを確認して、90分の勉強時間を見つけたとしましょう。ちょうど、やろうと思っていた課題が、時間がちょっとかかりそうな過去問へのチャレンジです。試験問題の制限時間は40分ですから、当然40分で問題を解くことになります。そして、答え合わせと解説を読み込み、間違えた問題の復習ぐらいなら20分で済むでしょう。つまり、勉強時間は60分で十分なのです。

ここで重要なのは、このあまった30分を有効活用するということ。過去問攻略で1日のノルマが終了ならば、あまりの時間を気分転換するために休んだり、遊びの時間に回したりできます。あるいは、ほかにもやるべき勉強があれば、その30分を充てればいいわけです。これにより、勉強の効率が単純に1・5倍になります。

とにかく人は、「たくさん勉強した！」という実感が欲しいのか、はたまたスケジュールどおりに事を進めたいのか、90分勉強すると決めてしまうと、そのとおりに行動してしまいます。しかし、実際に決めた時間をフルに勉強に充てることなど、ほぼありえないのは見てきたとおりです。

こうした**勉強していない時間を勉強したと計算し、「今日は90分勉強したな」と達**

成感にひたる勉強は、言ってしまえば「粉飾勉強」。本当なら、ちゃんと集中すれば決めた時間よりもかなり早く、終わらせることもできるのですから……。

そもそも粉飾勉強はラクですし（集中していませんから当然です）、しかも達成感を味わえるためクセになりがち。ところが、粉飾勉強ではなかなか結果に結びつきませんから、次第にその時間すらかけるのが面倒になり、やがて「やってもしょうがないや」と、勉強そのものから遠ざかってしまうわけです。

とにかく勉強にとって大事なのは、時間の長短ではないということ。そうではなく勉強時間の質こそが大事だということ、ぜひ覚えておいてください。

勉強する場所は「集中力」と「ノイズ」のバランスで選ぶ！

タイムマネジメント、勉強時間の質と並び、もうひとつ勉強にとって重要な要素が〝場所〟です。

先ほども少し触れましたが、みなさんに勉強場所を聞けば、まず自分の家の勉強机、そして図書館、あるいはカフェというのが一般的な答えとなるでしょう。

では、いま挙げた場所のなかで、どこで勉強するのが、もっとも効率よく、かつ集中して勉強できるのでしょうか。

答えは「どこでもいい」です。

どのような環境で集中できるかは人によって千差万別ですから、自分が勉強がはかどると実感できるならば、どこでやろうとかまいません。

ところが、よくあるのが他人に流されたり、なんとなく情報をうのみにしたりしてしまうこと。

友人に「図書館が一番集中できるからさ。一緒に勉強しようよ」と誘われると、何も考えずについついついついて行きがちです。

しかし、図書館は物音ひとつ立てるだけでも白い目で見られかねない、まさに息の詰まる場所。自分が、そういうミョーな緊迫感が気になる性格だとわかっているのに、「図書館だと勉強に集中できる」というひと言でついて行き、かえってなかなか勉強に集中できないのでは、本末転倒そのものです。

それとは逆に、周りの話し声やかかっている音楽といった〝雑音〟が気になって集中できない自覚があるにもかかわらず、ムリしてオシャレなカフェで勉強して、「ノマドっぽいオレってカッコいい」と、自己満足にひたるのも禁物。

とにかく**自宅の机や図書館、カフェといった既成概念を取っ払い、自分に合った場所を意識して探すのが大切**なのです。

ちなみに、私はテレビっ子でしたので、とにかく家に帰ったらテレビ優先の生活でした。ですから、小学生、中学生のころは、基本的にテレビを見ながらできるリビングで勉強や宿題をやっていたのです。

一方、司法試験のためのガッツリした勉強は、大学院の自習室以外ではやりませんでした。というのも、小中学校時代のようにテレビを観ながら「合間時間勉強」だけでは、当然、司法試験には合格できません。

テレビやゲームの甘い誘惑に勝てない自覚があったからこそ、ひとりきりになれる環境である自習室を〝主戦場〟としたのです。

このように、勉強は個々で判断して自分にベストな環境で行うのが一番です。ただし、試験対策の勉強をするうえで、ひとつだけ参考にしてほしいことがあります。

それは、試験本番でも集中力が乱れないよう、あえて比較的雑音があり集中力がそがれやすい場所で勉強してみるということ。

静かな環境でないと集中できないというのは理解できますが、試験会場にはセキ払いやペンが転がる音から紙のこすれ、椅子のきしみに至るまで、思わぬ〝ノイズ〟があふれまくっています。

そうしたノイズでいっぺんに集中力が乱され、そのままペースを取り戻すことができないまま「終了〜」、ということも十分ありえるでしょう。

そのためにも、**普段からある程度雑音が聞こえる環境で勉強し、そうした状況でも集中力を保つ訓練をしておくのが有益**なのです。

COLUMN

司法試験って本当のところどうなの？ 1

"ドS"としか思えない地獄の試験スケジュール

司法試験はよく最難関の国家試験といわれますが、その理由はおそらく合格率でしょう。昔の司法試験（旧司法試験といわれます）の合格率はなんと約3％。東大をはじめとする難関大学の出身者が中心に受験して合格率3％ですから、たしかに「最難関」という称号がふさわしいと誰もが納得できるはずです。

これに対し、現在の司法試験の合格率は司法制度改革の影響で約20％まで上がっています。とはいえ経験者の私が言うのもなんですが、司法試験は相変わらず最難関の試験と言っても過言ではないでしょう。その理由のひとつが、試験自体の過酷さです。

COLUMN

司法試験って本当のとこどうなの？ 1

日程	試験形式	試験科目／時間
5月11日（水）	論文式試験	・選択科目（労働法・倒産法等から一法選択）3時間 ・公法系科目（憲法）2時間 ・公法系科目（行政法）2時間
5月12日（木）	論文式試験	・民事系科目（民法）2時間 ・民事系科目（商法・会社法）2時間 ・民事系科目（民事訴訟法）2時間
5月13日（金）	休養日	
5月14日（土）	論文式試験	・刑事系科目（刑法）2時間 ・刑事系科目（刑事訴訟法）2時間
5月15日（日）	短答式試験	・憲法　50分 ・民法　75分 ・刑法　50分

司法試験は次ページの日程表のように中1日の休養日を挟み、5日間にわたって行われます（私が受けた平成28年の例）。

いかがでしょうか。

時間割だけでも「地獄ぶり」がわかるかと思います。ところが、これだけでは終わらないのが司法試験の恐ろしいところ。

最後の短答式試験、いわゆるマークシートの試験は「足切り」も兼ねており、一定の点数が取れないと、論文式試験を採点すらしてもらえません。つまり3日間一生懸命、論文式試験を解答しても、マークシート試験でミスしたらそれまでの解答がすべて無に帰すのです。

受験前、当然こう思いました。「なんてドSな試験日程なんだ。せめてマークシートを初日にやらせてくれよ」と。

2

時間目

勉強は「中途半端」なほうがモチベーションがわいてくる！

超ズル賢い勉強法 05

「ノートづくり」はムダだから、絶対にやってはいけない！

ノートはあとでラクに勉強するために取るもの

前の「1時間目」では、時間をどうつくり、どう使うべきかという、いわば〝勉強時間の効率化〟について説明してきました。続いて「2時間目」は、〝勉強自体の効率化〟について説明していきましょう。

時間の使い方同様、勉強のやり方にもムダがあふれていることに気づくはずです。

みなさんが、学校やスクール、講座の授業を受けるときや、各種試験などの自主勉強をするとき、必ずといっていいほどノートを取ると思います。

ではここで質問。

なぜ、みなさんは授業中にノートを取るのでしょうか。ほかの人がノートを取っているから、なんとなく自分も、という感じでしょうか。あるいは、先生が黒板、ホワイトボートに書いたことを写すのが当たり前だからでしょうか。そして、書いたノートやそのときの講義の内容を覚えているでしょうか。

実は、この質問は一種のリトマス試験紙です。明確に答えられない人は、残念ながら効率のいい勉強ができている可能性は低いかもしれません。なぜなら、そのような人はたいがいノートを取ることに必死で、その意味もよくわかっておらず、しかも授業の内容に集中できていないといえるからです。

その一方で、ここに効率化のカギがあるとも言えます。つまり、**なぜノートを取るのかがきっちりとわかれば、授業にも余裕をもってのぞむことができ、必然的に勉強の効率も劇的に上がる**からです。

では改めて、私たちがノートを取る意味はどこにあるのか。

答えはズバリ、**復習の効果を上げる**ため。

ノートを取るという作業は、授業や勉強の際に、わからなかったこと、疑問に思ったこと、間違えたことをメモして、復習すべきこと、あるいは復習時に集中すべきことをあぶり出す作業であり、**次回の授業なり自主勉強なりをラクにする準備として行うことこそが、その本質**なのです。

そもそも、予習より復習のほうがメンドーで、おざなりになりがちでしょう。しかし、おわかりだとは思いますが、わからないこと、間違っていたことをそのままにしておくと、勉強は必ずつまずきます。

そうした間違い、勘違いをひとつひとつ消していくためには復習は必須。ですからノートを上手に活用し復習を効率化すれば、結果、勉強全体の効率も上がること、間違いありません。

それでは早速、正しいノートの取り方を見ていきましょう。

（1）市販のノートとテキストの余白で十分

まず重要なのはノート選びです。といっても、世の中に数多くあるノートのなかから、いったいどのようなタイプを選べばいいのか、迷う人も多いことでしょう。

ですが、実は気に入ったもの、自分が使いやすいと思うものであれば、どんな市販ノートでもかまいません。

むしろ、重要なのは、**学校や予備校などで使う教科書やテキストもノートとして利用すること**。

ノートは白紙のものを使わなければならない、といったルールなどありません。ノートを取るということは、メモを取るということ。ですから、**なるべくメモする量が少ないほうがラク**に決まってます。

そこで、教科書やテキストの余白をメモ代わりに使うのです。そうすれば、書く分量も少なく済むのはもちろんのこと、テキストで言及されていた部分とリンクを張りやすいので、復習が効率的に進められます。

（2）授業中のノート取りに必要な3つのポイント

先にも述べたように、授業中にメモするタイミングは次の3つとなるでしょう。

① わからないことが出てきたとき

② 説明などに対し疑問に思ったとき

③ 自分の考え、知識が間違いだと気づいたとき

たとえば社会の授業で「参勤交代」がテーマに取り上げられたとしましょう。まず「参勤交代」とは、「徳川家光が制度化したもので、日本各地の大名を1年おきに、江戸と自身の領地を往復させる制度」と先生が説明します。

ここで参勤交代の意味を知らなかった場合、①に当てはまりますので、先生の説明をノートにメモしましょう……となるところですが、ちょっと待ってください。

これは完全に早とちり。先生の説明であるカギカッコ部分は、すでに教科書に書いてあるはずですから、そうした**すでに文章化されていることを、もう一度自分でノー**

トにメモする必要ありません。時間のムダになってしまいます。

しかしながら、それに続いて「なお、大名の妻子は江戸に居続けなければいけない決まりでした。つまり幕府の人質だったんですね」と**初耳の情報について説明があったなら、その部分こそメモしておきましょう**。

続いて、先生が参勤交代が制度化された理由を、「幕府の権威を維持するため」と説明しました。これも教科書に書いてある場合はメモ不要です。しかし、ここで次のような疑問がわいたとしましょう。

「なぜ参勤交代制度によって、幕府の権威が維持されるのかな。大名が1年おきに、江戸に来るだけなのに」

これこそが、②の疑問に思ったこと。ですから、こうした疑問はメモしましょう。具体的には、教科書の「幕府の権威を維持するため」といった理由の記載部分から**吹き出しマークを書いて「ナゼ?」とメモするだけでOK**です。

さらに、この「ナゼ?」に対して「参勤交代には莫大な費用がかかり各藩の財政を圧迫し、国力の低下を招くから」という説明があった場合は、その**説明を吹き出しの横に「答え」としてメモすればいい**でしょう。もちろん、先生が授業で説明しなかった場合は、次回の先生への質問、または復習のための目印と考えればいいわけです。

ちなみに、疑問に対する回答がすでに教科書に書いてあるならば、その記述部分と「ナゼ？」のメモ部分の線で結ぶなどして、メモ作業を省略してかまいません。それだけでも、復習する際の効率アップにつながります。

最後に、「参勤交代」のテーマで小テスト的な簡単な出題があったとしましょう。問題は「参勤交代により、幕府の権威が維持された要因をふたつ挙げよ」というもの。

答えのひとつは先ほどメモした「費用が……」という内容です。が、授業で聞いていたにもかかわらず、もうひとつの要因を「石高1万石につき100石の米を幕府に納めるから」と書いてしまいました。

これは、8代徳川吉宗が導入した「上米《あげまい》の制」のこと。この制度を導入したことにより、幕府の財政を諸藩に頼ることになり、かえって権威の低下を招いてしまったと

疑問点、気づいたポイントは すぐに教科書に書き込もう！

1603年、徳川家康《とくがわいえやす》がおよそ260年続く江戸幕府を開きました。幕府における将軍直属の家臣は「旗本《はたもと》」と「御《ご》家《け》人《にん》」です。彼らは江戸に在住し、軍事や政治を担当しました。また、全国各地の大名を支配するしくみや幕府の政治のしくみも整えられていきます。将軍の下で、政治を行う最高責任者は「老中《ろうじゅう》」と呼ばれます。さらに老中の下で、「奉行《ぶぎょう》」と呼ばれる人たちがそれぞれの役割を分担しました。これらの役職には、当初は旗本や譜代《ふだい》大名と呼ばれる古参の大名が選ばれました。幕府と藩によるこうした日本を統治するシステムのことを「幕藩体制」といいます。

［大名や朝廷の統制］ 幕府は**武家諸法度《ぶけしょはっと》**という法律をさだめ、大名の許可なく城を修理したり、大名どうしが無断で縁組をしたりすることを禁じました。大名の参勤（江戸に来ること）は主従関係の確認《かくにん》という意味があり、第3代将軍**徳川家光《とくがわいえみつ》**は、**参勤交代《さんきんこうたい》**を制度としてさだめました。以後、大名は1年おきに領地と江戸とを往復することになり、その費用や江戸での生活のため多くの出費を強《し》いられました。また幕府は、京都所司代《きょうとしょしだい》を置いて朝廷を監視《かんし》し、禁中並公家《きんちゅうならびにくげ》諸法度という法律で天皇や公家の行動を制限し、政治上の力をもたせませんでした。

大名や朝廷に比べ江戸幕府が大きな力を持っていた理由を、支配した領地や経済の面から解説しましょう。

定めた理由：幕府の権威を維持するため

大名の妻子はずっと江戸＝幕府の人質！

ナゼ？あとで確認！

藩の力の低下を招く
→結果として幕府の権威維持につながる！

これも武家諸法度も命じたのは家康だが、発布当時の将軍は2代秀忠！

いわれています。ですから、不正解となってしまいました。

つまり、それこそまさに③の間違えた知識ですから、すぐに調べたり人に聞いたりし、とりあえず答えをノートに書き込んでおきましょう（ちなみに答えとしては「幕府が諸藩を定期的に江戸に来させることにより、謀反《むほん》を企てられないようにする」などが挙げられると思います）。

このように、**③の間違えたことのメモは、教科書ではなくノートに書き込んだほうがいい**でしょう。そうすれば、自然と白紙のノートに①のわからなかったことと、③の間違えていた知識が並ぶわけです。

つまり、ノート自体が「わからなかったリスト」「間違えたリスト」になり、その結果、復習のムダがなくなり勉強時間が短縮されます。

このように、授業を受ける際のノートの取り方のポイントは、次のようにまとめられるでしょう。

①教科書に書いていないことを教科書にメモする

②わからなかったこと、間違えたことをノートにメモする

たったこの2点だけ、気をつければいいのです。

そして、メモの取り方を工夫するだけで、

①メモ作業自体が効率化されるため、余裕をもって授業を受けることができる

②わからなかったことだけがメモされているので、復習すべき事項が一目でわかり、ムダな復習をしない分、勉強時間の短縮が実現する

という効果が得られます。

（3）自分で勉強するときは答えをメモ化する

では、自分で勉強する際に、どのようにノートを使えばいいのでしょうか。

答えは「解答メモ」。そして使うのは、テキストや問題集の余白です。

たとえば数学や理科では計算過程や思考過程を、国語や社会や英語では漢字や語句、単語をメモしましょう。

ここでのポイントは、解答して正解した問題と間違えた問題を一瞬で判別できるようなメモの取り方をすることです。たとえば、正解していればもうやらなくていいという意味を込めて問題番号にマルをつけ、間違えた問題は「単純ミス」「要復習」といったひと言をつけて目立たせるというのも、ひとつの手でしょう。

こうすることで、もう解かなくも大丈夫な問題と、もう一度解くべき問題が明らかになるため、復習の時間や解く問題量を減らすことができます。

繰り返しになりますが、ノートを取る作業は、復習個所を明らかにして自分の勉強を効率化するために行うのがキモなのです。

「解答メモ」はこんな感じで書き込もう！

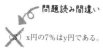

1 次の数量の関係を等式で表しなさい。

(1) ある数xを5で割ったとき、商はy、あまりは2である。

(2) aキロメートルの道のりを時速4キロメートルで歩いたら、b時間かかる。

問題読み間違い

(3) x円の7％はy円である。

数式ド忘れ

(4) 十の位がa、一の位がbという2けたの数の、十の位の数字と一の位の数字を入れかえると、もとの数より45大きくなる。

習ったのに覚えてない

2 あるクラスで理科のテストを行なったところ、男子22人の平均点がx点、女子18人の平均点がy点で、クラス全体の平均点はz点であった。x、y、zの関係を等式で表しなさい。

まったくわからず要復習！

3 2本の電灯がeメートル離れて立っている。この間にfメートル間隔に木を植えたら、ちょうどg本植えることができた。e、f、gを使った式で表しなさい。

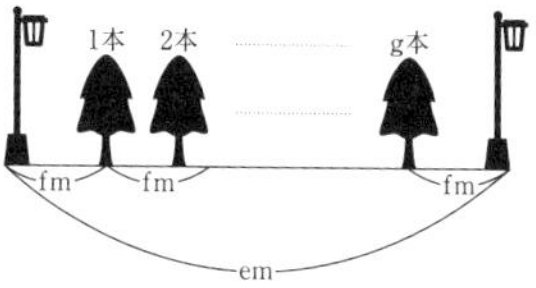

4 xキログラムの体重の人がyグラムの衣服を着ると、全体の重さはzキログラム以上である。これを不等式で表しなさい。

5 現在、父の年齢はa歳、長女のたかこはb歳、その弟の年齢はc歳である。次の式が表している数量の関係を述べよ。

(1) $a = 3b$

(2) $a > b + c$

うっかりミス

(3) $a + 10 < b + c + 20$

○＝正解　×＝間違い　☆＝要復習

ノートをつくる、借りるは危険なワナだらけ！

ノートを取るという作業で気をつけなければならないのは、とにかくそのこと自体を目的化しないということ。

前項で説明した、復習をやりやすくするためという目標を見失ってしまい、ノートを「取る」ではなく「つくる」方向に進んでしまうと、かえって勉強の効率が悪くなること間違いないからです。

では、ノートを「つくる」とはどういうことでしょうか。

たとえば、カラフルに色分けされているもの。定規を使ってきちんと線が引かれ、文字や数字がノートのマス目にきれいにハマっている、非常に見栄えがいいもの。あるいは、講師の板書や発言が一字一句書き写されているもの。

こんな〝美しすぎるノート〟を一度は見たことありませんか。これがノートを「つくる」ということ。しかも、その美しさに憧れていた人もいるかもしれません。

しかし、こうした**「つくられたノート」というのは、勉強した気になるだけという“自己満足の結晶”以外の何ものでもありません。**つまり、ノートをつくることは、はっきり言って時間のムダなのです。

そもそも、授業や講義というものは基本的に教科書やテキストを軸に進行しますから、講義中に説明されることのほとんどはそれらに書いてあります。ですから、授業での説明を逐一ノートに書き留め、しかも見栄えよく仕上げていくのは、**単純に素人が教科書やテキストの“劣化版”をつくっているだけ**なのです。

前述したように、ノートは①わからなかったこと、②疑問に思ったこと、③間違えたことをメモするために使うもの。そして、メモすべきなのは、教科書やテキストに書いていないことだけでいいのです。

さらに、ノートをつくるという作業にひそむ恐ろしいワナが、それだけで勉強した気になってしまうということ。ていねいにノートを書き込もうとすると、当然時間がかかりますから、授業中では終わりません。

ですから、自分の勉強時間、合間時間に作業をすることになります。そうすると、実際はノートをつくっているだけなのに、机に向かって作業をするため、まるで勉強をガッツリしているという錯覚に陥ってしまうのです。

そして、ノートをつくり終えたという〝自己満足〟を、「今日は勉強したな〜」という〝達成感〟だと勘違いしてしまいます。

当然のことながら、このような状態は危険です。

勉強した気になっているだけで実際は何の勉強もしていないのですから、当然〝やった感〟とテストの点数などの〝結果〟は釣り合いません。そうなると、「勉強したのに、テストの出来がよくなかった。やっぱり、自分は勉強ができないんだ」と、勉強に対する意欲を失ってしまいかねないのです。

つまり、**「ノートをつくる」という作業は時間がかかるにもかかわらず、得られるのは勉強したという気分だけ。しかも、勉強への意欲を失わせるという危険な〝副作**

用〟すら引き起こす可能性があるのです。

ちなみに、よく見かける「ノートを貸して！」というシーン。やはり美しすぎるノートへの憧れがそうさせるのかもしれませんが、これもまたまったく無意味な行動だということは、ここまで読まれてきた方ならおわかりのことでしょう。

そもそもノートとは、自分にとって有用なことだけが書いてあるもの。しかも前述のように、きれいなノートは単なる教科書の劣化版ですから、それを書き写したり、コピーしたりしたところで、教科書以上の情報など得られません。

しかも、**書いている人が勘違いしたり、間違ったりしている可能性もある**わけですから……。

一見、**人にノートを書いてもらうということは勉強を効率化させる行為のように思えるかもしれませんが、実は、かえって勉強の効率を低下させてしまう**のです。

とにかくノートは、前述の教科書に書いていないポイント①、②、③だけを書き留めるもの。これを絶対に忘れないようにしてください。

超ズル賢い勉強法 06

「1分切り捨て勉強法」と「ヒマつぶし勉強法」の合わせ技で難問もやすやすクリア！

問題はわからないと思った瞬間、即放置！

みなさんは、参考書や問題集で難しい問題に出くわした場合、どれくらい時間をかけて考えているでしょうか。

練習だからと解けるまで粘る人もいるかもしれませんが、実はこれもまた時間のムダ。はっきり言って、**1分考えてわからない問題は、そのまま放っておくのが〝正解〟**なのです。

そもそも問題を解くのは、何のためにやっているのでしょうか。

誰でもそうだと思いますが、いきなり問題集を解き始める人はおそらくいません。その前に、まずテキストやノートを使った勉強で知識を身につけるはずです。そのうえで、問題を解く。つまり、知識が身についているか否かを、問題を解くことによって判断するわけです。

ですから、問題を解くのに時間をかけるというのは、勉強のやり方としては本末転倒。それよりも、わからないなら、そのままあきらめて次の問題を解いたほうが、勉強の効率ははるかに上がります。

本番となる各種試験において、設問の内容やレベルは千差万別ですから、**どんな問題が出るかピンポイントでわかるはずありません。であるからこそ、限られた勉強時間のなかで1問でも多くの問題にチャレンジしておくほうが、あとで大いに役立つ**わけです。

そのために効率よく勉強するならば、**1分考えて一歩も前に進まなかったら即座に**

あきらめる。これを習慣化すること。

難しい問題を前にして、あれこれ思考をめぐらせても、時間ばかりが過ぎていき、ほかの問題にまで手が回りません。そうなると問題を解く勉強の効率は悪くなる一方だからです。

このいわば「1分切り捨て勉強法」を行ううえで気をつけたいのが、どの問題を1分で切り捨てるかという〝基準〟。

当然のことながら、ひと目で時間がかかりそうな問題、たとえば国語の読解問題や、論理的思考力が試される論述問題などには、この勉強法は適用できません。そうではなく、**単語、用語の説明や穴埋め、計算などの問題を解く際に「1分切り捨て勉強法」を使う**のです。

イメージとしては、矢継ぎ早に問題が出題され、10問正解でクリアとなる、テレビ番組でよくあるクイズコーナーのような感じでしょうか。そんなクイズに挑戦する場合、難しい問題をいつまでも考えていたら、あっという間に制限時間アウトとなってしまいます。

ですから、挑戦者は答えがパッと浮かばない場合、すぐに「パス！」と言って次の問題に挑むでしょう。「1分切り捨て勉強法」も同じ要領です。

では、1分考えてもできなかった問題は、どのように〝処理〟したらいいのでしょうか。

切り捨てた問題は、「ヒマつぶし」として振り返るだけでいい

もちろん、1分考えてできなかった問題を、放置しっぱなしでは勉強はいつまでたっても前には進みません。当然のことながら、解けなかった問題について、まとまった時間にあれこれ思考をめぐらすことが大切です。

ここで「あれ？」と思った方もいるかもしれません。問題をズルズル考えるなと言っているのに、いったいいつ、どのように考えをめぐらすべきなのか、と。

発想としては、「1時間目」で説明した「合間時間」と同様です。たとえば通勤・通学や移動中、入浴中といった、とりわけ頭がヒマなときに問題を思い起こしてみる。いわば、**どうでもいい時間を使う「ヒマつぶし勉強法」こそが、時間の長さ的にも問題の振り返りに最適**なのです。

ぜひ、これを実践してみてください……と言いたいところですが、実はすでに私たちは「ヒマつぶし勉強法」を何度も行ってきています。

たとえば、学校の試験や模試で終わったあとの帰り道、友だちと試験問題を思い返しながら、あるいはひとりぼんやりと、

「あっちゃー。あの問題、間違えたかもしれない」

「選択問題の答え、いま考えると『イ』じゃなくて『ウ』だったかも」

「最後の読解問題が解けなかったけど、あれって本文の最後の部分をまとめればよかったのかなぁ」

といったように、苦い想いとともに問題の振り返りをしたことなど、誰しも一度は

あるのではないでしょうか。

これこそ、まさに「ヒマつぶし勉強法」なのです。

「ヒマつぶし勉強法」に必要なアフターケアサービス

ただし「ヒマつぶし勉強法」には、アフターケアが必要です。

解けなかった問題の振り返りをしたら、次の勉強時間でその問題に再びチャレンジしてみましょう。一発で解ければ、その問題は何度出ても正解できるはず。見事クリアです。


もちろん、一度の振り返りだけでは解けないことも多々あるでしょうから、その場合は、解答や解説を読んで、できなかった原因を見つけてください。

そうすると、すでに「ヒマつぶし」の際に頭の中で〝反すう〟しているので、そもそも知らない知識が問われていたのか、一度勉強したはずだが忘れてしまったのか、あるいは考え方が間違っていたのか、勘違いして覚えていたのか、といった原因がすぐに見つかることでしょう。

そして、**原因がわかったら、その内容を端的にメモ**してください。

たとえば、単純に英単語がわからなくて解けなかったというように、知識がない、忘れていたため不正解だった問題に関しては、覚えていない単語であるというただし書きをつけて、また次の日に覚えているか確認してみましょう。

一方、複雑で難易度が高い数学問題のような設問をミスした場合は、まず解き方がまったく思いつかなかったのか、ある方式、公式を使うことはわかったがどう当てはめればいいのかがわからなかったのか、といったように、なぜできなかったのかを掘り下げてみてください。

そうすることで、知識不足が原因なのか、理解が足りないのが原因なのかが明らかになります。

そして、**原因がわかったら、問題の横に「公式がわからなかった」「数式の順番に**

注意」と具体的な内容をメモするのです。こうすることで、復習で再びその問題を解く際に、前回の不正解の原因が一目瞭然になりますので、そこを意識しながら問題に取り組むことができます。

その結果、問題が解けたら「祝、苦手克服！」。

またしても解けなかった場合は、その問題を「要注意問題」に格上げし、解けるようになるまで何度も復習しましょう。

このように、「1分切り捨て勉強法」→「ヒマつぶし勉強法」→復習と繰り返せば、効率よく、さまざまなレベルの問題が解けるようになるのです。

超ズル賢い勉強法 07

ラクに勉強したければ、ビジュアルこそ大切にしよう！

勉強は見た目が9割！

10年以上前のことですが、『人は見た目が9割』という本が出され、かなり売れました。本当にそうなのかどうかはさておき、なんとなく「タイトルどおりかも」という気になりますよね。

実はこれ、勉強にこそ当てはまるのです。

つまり、**「ラクな勉強」をするためには、〝ビジュアル〟も大切**だということ。

たとえば、カバンいっぱいに詰め込まれた参考書を見るだけで、ウンザリした気持ちになりませんか。

私のようにメンドくさがり屋で、できればラクをしたいと思う人間にとって、そもそも大量の参考書を持ち運ぶこと自体、肉体的に大きな負担です。しかも、肉体面だけでなく、気持ちまで「ドヨーン」と重くなってしまいます。

大量の参考書をカバンに入れているとき、

「はぁ……。今日もやることたくさんあるなあ……」

と、勉強する前からやる気がなくなってしまうのです。

負担の大きさの感じ方に差はあるでしょうが、こうした重い気分は、おそらく私だけではなく多かれ少なかれ、誰にでも当てはまると思います。

ではなぜ、大量の参考書を持ち運ぶことになるのでしょうか。

大まかに言えば、何も考えずに「たくさん勉強しなくては」という義務感、あるいは強迫観念に突き動かされてしまうから。「あれもこれもやる場合、必要になるかもしれないから、念のためこの参考書と、あの参考書と……」と結果的に何でも持ち運んでしまうのです。

私が完全に勘違いしていた参考書のしくじり活用法

もちろん、「まとまった時間が取れたから、たくさん勉強しよう！」という意欲は大事ですが、それよりも**重要なのは、何をどれくらい勉強するかという計画性**。せっかく、大きな合間時間を見つけたのに、その使い方を考えていなければまったくのムダに終わること、言うまでもありません。

なぜなら、こうした場合、まず間違いなくせっかく持ち運んだ参考書のほとんどは効果的に使われないからです。

「せっかく持ってきたんだから、こっちの参考書も見てみようかな」と中途半端に手を出しては引っ込め、また別の参考書を引っ張り出しては戻しの繰り返し。結局、まとまった時間の勉強そのものが、〝グダグダ〟になってしまうわけです。

当然のことながら、このようなきわめて効率の悪いグダグダ勉強では、知識も思考力も身につくはずありません。結局、「長時間机に向かい、しかも参考書もそれなりに読んだぞ！」という、お決まりの効果ゼロの〝達成感〟しか残らないのです。

これは、はっきり言って究極の時間の浪費。絶対にやめてください。

なぜ私が、ここまで言い切ってしまえるのか。それは、**大学受験時代の私が、まさにそうだった**からです。

部活や学校行事もなくなり、勉強時間が取れるようになると、ここぞとばかりに「たくさん勉強しなくては」と思うようになりました。

しかし、私はその気持ちだけで、無計画のまま学習塾の自習室に行っては、手当たり次第に勉強し、結局、手応えのないまま時間だけが過ぎていく……。ひたすら、これの繰り返しだったのです。

しかも当時の私は、まさに机に向かっている時間＝勉強時間だと思い込んでいました。ガムシャラ、やみくもが勉強の王道だと勘違いし、それが間違っているなど、つゆほども考えていなかったのです。

そしてその結果、「はじめに」にも書いたように、進学校の生徒らしからぬ、あえなく受験に敗退となってしまいました。

私はこのような苦い経験があるからこそ、みなさんに同じ間違いをしてほしくない。心からそう思っています。

参考書を持ち運ばないことで計画力がアップする！

では、こうならないためにどうすればいいのか。

みなさん、もうおわかりかもしれませんが、持ち運ぶ参考書を厳選すればＯＫなのです。そして、そのためには当然、その日１日どのような勉強をするのか計画を立てる必要が生じます。

ただし、**厳密に何時から何時はこれ、そのあと１時間はあれ、といった細かいタイ**

ムスケジュールをつくる必要はありません。どうせズレが発生しますから、細かいタイムスケジュールを立てても、あまり意味がないでしょう。

それよりも、自分のコンディションや能力を考え、「なんとなく、これくらいならできそうだ」という、おおまかな全体像を頭の中で描いてみてください。たとえば、「全体でだいたい4時間くらいなら、数学と物理と国語くらいはできそうだな」といった具合です。

ここでのポイントは、「1時間目」でも紹介した、優先順位と時間配分のマトリックスを考えるということ。たとえば、国語や英語の長文問題、数学の証明問題、資格試験でいえば論述問題といった、解答するのに時間のかかる課題に取り組むようにすることです。

このように計画を立てたら、次に**「この計画を達成するまでは勉強する!」と心に決めるのが重要**です。

こう聞くと、なかには「なんだよ、単なる精神論じゃん」と思われる方もいるかもしれませんが、これが意外に大事。なぜなら、逆に予定より早く目標を達成したら、勉強を切り上げて自分の好きなことに時間を回せるからです。

ここまでしたうえで、勉強に必要な参考書類を選びましょう。マストのものは、そもそもそれがないと勉強できないといった参考書だけ。たとえば、国語や英語の長文読解にトライするならば、持っていくのは問題とその解説だけで十分です。

辞書や単語帳などは、家に置いておいてください。なぜなら、**知らない単語、用語などはたいていは解説のページに記載されている**からです。もし記載がなくても、それをメモって、家に帰ってからチェックすればいいわけです。

もちろん、スマホで調べることもできます。ただし、調べたついでにゲームだ、LINEだ、となってしまう危険性がありますので、なるべく使わない、見ない、そもそもカバンから出さないほうが得策でしょう。

さて、こうして計画を立て、実際に勉強してみると、当初の想定と達成度のあいだにギャップが生じるかもしれません。でも、大丈夫。これを繰り返していくうちに、必ず自分のペースがつかめるようになります。

もちろん、早く終わったら、先述のように自分の好きなように使えばいいわけです。反対に、「時間が足りないなぁ」というときにムリは禁物。

本当に意欲と時間（とアセり）があれば延長もありですが、ただ単に「やらなきゃ」という切迫感だけで勉強してしまうと、疲労もたまりますし、その結果やる気もなえてしまうなど、あとあと悪影響が出かねません。

むしろ、4時間なら4時間で自分は何ができるのか、ということを把握できたほうが、今後の計画も立てやすくなるでしょう。しかも、目標が試験の合格ならば、当然テストには時間制限があるので、**限られた時間で何ができるかという感覚を養っていけば、一石二鳥の本番対策にもなる**わけです。

とにかく慣れるまでは、自分の予想と実際にできたことの〝差〟など気にしないのが、長続きのコツと言えるでしょう。

忙しければ忙しいほど、勉強のことを積極的に忘れてOK！

勉強とのソーシャルディスタンスをキープする！

掃除、洗濯といった家事から、パワポの資料作成、経費の精算といった事務仕事に至るまで、メンドーだからやりたくないけど、やらないといけないことを目の前にすると、どうしても気持ちが後ろ向きになってしまいます。

もちろん、その最たるものが勉強といえるでしょう。「勉強しなくちゃいけない」と思えば思うほど、アセるべき状況とはうらはらに、モチベーションは一向に上がりません。

これはやはり、「義務感」というものが重しのように、心にのしかかるからでしょう。なかなか、こうした〝重荷〟を一撃で吹っ飛ばすことはできませんが、ここはなんとか頭を切り替えるしかありません。

その際に一番有効なのは、そうした義務感から少しでも逃れるために、**遠くの目標を常に頭の片隅に置いておく**こと。

もちろん、「1時間目」で説明したように、遊び、自分のしたいことをある種のモチベーションに、そのために効率的に勉強するというのが理想と言えるでしょう。

しかし、「もはや、遊びなんて考えてる場合じゃない！」というときも当然あるはず。その際に意識すべきなのは、勉強はあくまで目的達成のための手段としてするものである、ということなのです。

ここで言う目的とは、学生なら試験で100点を取る、○○大学に合格するといったことになるでしょうが、社会人でしたら、もう少し先のゴールを思い描いたほうがいいでしょう。

たとえば、宅建の資格を取って5年後に独立する、TOEIC850点を取って海外駐在を目指すといったように、**勉強の先に得られる〝実利〟をゴールとして頭に浮かべておく**のです。

こうするとモチベーションも上がりますし、勉強をやるということ自体に気持ちが左右されることも少なくなるでしょう。極論ですが、たとえば「心を落ち着いた状態にしたい」というのが目標ならば、達成するまでそのジャマになる勉強などしなくてもいいのです。

これくらい、**気持ちのうえで勉強との〝ソーシャルディスタンス〟をキープする**ように心がけましょう。

勉強を日課にすると、いつまでも勉強習慣がつかない！

「勉強は義務じゃない」という気持ちを持てるようになれば、行動も変えることができます。

勉強するクセ、勉強習慣を身につけたいといった理由で、「毎日1時間勉強する」というように日課にしようと努力してしまう人も多いはず。しかし、勉強を日課にしてしまうと、知らぬ間に勉強自体が目的化していますし、毎日勉強しなくては、という義務感がより強まってしまいます。

何度も触れていますが、勉強にメリハリは不可欠。やれるときはガッツリやれるでしょうが、やれないときにムリしてやっても身につきません。

とりわけ忙しい社会人にとって、日課の勉強は苦痛そのもの。すでに仕事における日課というべき「ノルマ」にウンザリしている人も多いでしょうから、仕事以外のことにまで日課は設けると、結局ますます勉強嫌いになること間違いありません。

とにかく、**勉強の日課化だけはやめたほうがいい**のです。

ではは勉強するクセ、勉強習慣を身につけるには、どのように行動すればいいのでしょうか。

理想を言えば「すぐやる」こと、言い換えるなら後回しにしないことです。授業の予習や復習をすぐやることができれば、「毎日勉強1時間」といった日課を課す意味はなくなります。

ただし、勉強すべきときにすぐやることが大事と言われても、忙しい毎日を過ごしている方にしてみれば「そんなのムリ！」となるのも当然のこと。

また「すぐやる」にとらわれすぎると、再び義務感に駆られてモチベーションがどんどん低くなり、〝振り出し〟に戻ってしまいかねません。

ですから、そうしたときは思い切って**勉強の優先順位を下げましょう**。

社会人はもとより、学生も勉強以外にやるべきことがたくさんあります。

たとえば、私は学生時代、剣道部に所属していたので、大会が近づくと試合形式の稽古が多くなり、練習時間も普段に比べて断然長くなりました。そうすると、必然的に勉強できる時間が減ります。

また、精神的にも試合に専念したい気持ちが高ぶるため、必然的に勉強に身が入らなくなってしまいました。

このように、部活や習い事が大事な時期は、勉強のことはきれいさっぱり忘れてください。ここでムリして両方をこなそうとすると、結果的にどちらも中途半端になってしまいます。


一方、社会人にとって生活のなかで大きなウエイトを占めるのは仕事ですから、勉強の優先順位はそもそも上位ではないかもしれません。

しかし、それで一向にかまわないのです。仕事量を自分の裁量でコントロールすることなど、よっぽどの上長でない限りできません。

ですから、**仕事時間に余裕ができたとき、すなわち仕事の閑散期、大きなプロジェクトが終わったあとなどに、しっかりと勉強すればいいや、くらいの気持ちでいれば十分**なのです。

ただし、このような気持ちの場合、えてして「忙しさ」と「自分への甘え」の境目が見えなくなりがち。

ですから、先ほど述べたような実利のある「目的意識」を常に、頭の片隅に浮かべておくのが、モチベーション維持のためにも重要なのです。

また、「1時間目」で見たような勉強を含むタイムスケジュールの管理ができるようになってくると、忙しい時期を見越して事前に計画的な勉強ができるようになってきます。

そうなると、優先順位について悩むこともなくなっていくことでしょう。

いつもいいところで終わるテレビドラマ方式で、やる気の〝無限ループ化〟が実現する！

キリよく終わると「勉強エンジン」のかかりが悪くなる！

私も経験豊富ですが、大きな目的をしっかりと意識しているにもかかわらず、「勉強エンジン」がなかなかかからないという日もあるでしょう。

「やらなきゃ、やらなきゃ」と気持ちは急いているにもかかわらず、なぜか勉強エンジンは「キュルルル……」と空回りするだけ。

そのうちスマホをいじったり、普段しない机の整頓を急に始めたり、止まらないとわかっていながらマンガを読みだしたり……。そして、そうこうしているうちに勉強時間がなくなり、挙句の果てに開き直って「また明日やればいいか」とスマホゲームに本気モードで挑む……。

私以外にも、こういう経験をしたことある人は多いことでしょう。もちろん、これが繰り返されると、どんどん成績も悪くなり、「いつのまにか勉強離れ」していってしまうことは間違いありません。

では、勉強エンジンをかかりやすくするには、どうすればいいのでしょうか。

よく「ひと段落するまで勉強しよう」という人がいます。これは一見モチベーションを維持するのに有効な手段に思えます。

なぜなら、ひと段落するまで勉強すると、一定の達成感（今日は勉強した感）が味わえるからです。そうすると明日もがんばろうとなります。

しかし、実際次の日はどうでしょう。

昨日はあったはずの「明日もがんばろう」が、キレイさっぱりなくなっていることはありませんか。

達成感は別の見方をすれば「やり切った感」ですので、その日の最高潮のモチベーションを迎えて勉強を終わるわけです。しかし、**最高潮のモチベーションは長くは続きません**。それどころか、おそらく「勉強終わったー！」という瞬間に、モチベーションは切れてしまっているはずです。

ですから、次の日に勉強エンジンが同じ調子でかかるとは限りません。

たとえば10キロのマラソンに挑戦した際、8キロ地点で「残り2キロです」と言われたら、「よし、あとちょっとがんばろう！」という気になります。

ところが、運営側の手違いで8キロ地点にゴールテープが張ってあり、見事ゴールインと喜んでいるところに「すみません、ゴール地点を間違えました。あと2キロ残っているんですよ」と言われたらどうでしょう。

同じ2キロでも、燃え切る前と燃え切ったあとでは180度意味合いが変わってしまい、全力で走ることなどできないはずです。

中途半端に勉強を区切ると、次回の入りがスムーズになる！

　では途切れてしまいがちな勉強欲を維持するには、どうすればいいのでしょうか。先ほど説明した「燃え切り」の逆、**「モヤモヤ」を狙えばいい**のです。

　そのために、非常に参考になるのがテレビドラマ。「どういうこと？」と疑問に思う方にこそやっていただきたい、簡単かつ効果絶大の勉強術を紹介しましょう。

　テレビドラマは必ずと言っていいほど、各話は最後「いいところ」で終わります。「もう少しで犯人がわかったのに……」という感じで、みなさんもイライラさせられたこと、一度や二度ではないでしょう。

　こうした場面で終わると、続きが早く知りたくなり「来週まで待ちきれない！」という気になります。このモヤモヤを勉強に応用するのです。

　先述のように勉強をキリのいいところまでやり切ると、次への意欲がわきづらくなります。ですから**ドラマのように、勉強も中途半端なところ、キリの悪いところであえて終わらせる**のです。

たとえば、「ここまでやろうかな」と考えていた分量の9割を終えたらやめてみる、「この問題を解いたら終わり」という最後の1問の問題文にだけざっと目をとおして問題集を閉じる、といったように、「あと10分やればキリよく終われたのに……」と思えるようなスッキリしないところで勉強を区切ってみてください。

もちろん、どの場面で勉強を中断するかは好みですが、何教科も勉強する場合には、ある教科を中途半端なところで終わりにし、即、違う教科の勉強を始めてみるのもいいでしょう。

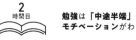

このように**中途半端な区切り方をすると、次に勉強を始めるとき、「とりあえず前回の中途半端なところから片づけよう」という気持ちになるため、抵抗なく勉強を始めることができます。**

つまり、「勉強エンジン」をいちいち切っては再スタートさせるのではなく、常にアイドリング状態に保っておくようなイメージです。

勉強エンジンがアイドリング状態でも頭は働く！

キリの悪いところで終わらせる「ドラマのエンディング勉強法」を続けていくと、潜在的に勉強時間をより多く確保することにもつながっていきます。

どういうことか。

勉強していない時間でもモヤモヤは残っていますから、知らず知らずのうちに「あの問題、どう攻めればいいのかなぁ……」と積み残した問題のことを考えるようになるのです。

私の場合、複雑な数学の問題などは、設問を読んで数分考えて難しいなと感じた時点で切り上げ、ほかの教科をやったり、勉強自体を終わりにしたりしていました。

ところが、終わらせたとはいえ、問題のことが頭に残ってモヤモヤするわけです。

このモヤモヤは、勉強していない時間でも、ふとしたときに頭の片隅から真ん中へとやってきます。すると、いつの間にか「ああでもない、こうでもない」と、その問題がどうしたら解けるか考えるようになるのです。

この考えている時間こそ、潜在的に勉強している時間となります。もちろん、ここで解答に至らなくてもまったく問題ありません。**アイドリング状態でも、モヤモヤを感じ、頭を働かせるということこそが重要**なのです。

このように、「ドラマのエンディング勉強法」を行うと、ムダな〝助走〟をせず、すぐに勉強を始められるようになります。しかもそれだけでなく、**勉強時間以外にも頭が回転し続けるようになる**のです。

簡単に実践できますから、ぜひ試してみてください。

COLUMN 2

司法試験って本当のところどうなの？

地獄のあとに待ち受ける、もうひとつの恐るべき試験

晴れて「地獄の司法試験」に合格しても、実はそれだけで法曹三者（裁判官・検察官・弁護士）の資格を得られるわけではありません。「え、そうなの!?」と思った方も多いはず。私も弁護士を目指そうと心に決めた際、このことを知り「マジかよ……」と思いました。

法曹資格を得るには、司法試験に合格し、約1年間の司法修習（研修）を終えたあと、「司法修習生考試」、通称「二回試験」という試験に合格しなくてはなりません。

合格率こそ90%を超えるので、普通に受ければ問題ありませんが、それでも試験自体は、司法試験と同じくらい精神的にも肉体的にも過酷なものなのです。

日程	試験科目（いずれも論文式試験）	試験時間
11月17日（金）	刑事裁判	7時間25分
11月18日（土）	休養日	
11月19日（日）	休養日	
11月20日（月）	検察	7時間25分
11月21日（火）	民事弁護	7時間25分
11月22日（水）	民事裁判	7時間25分
11月23日（木）	休養日	
11月24日（金）	刑事弁護	7時間25分

試験のスケジュールを見てみましょう（私が受けた平成29年の例）。

おそらく「試験時間が7時間25分って、試験ってそんなに時間がかかるものなの!?」と驚いた方も多いかと思います。しかし、とにかく書くべきことが多く、科目によってはこれでも時間が足りない場合すらあるのです。

たとえば上記11月20日(月)に実施された「検察」の試験

（簡単に言えばいろいろな資料が問題文に添付され、被疑者はどのような罪で起訴できるか、またその罪を犯したことを立証する証拠はどれかといったことを解答する試験）は、問題文が１００ページを超えるため、読み込むだけで2時間くらいかかります。

二回試験の合格率は前述のように90％を超えるため、普通にやれば落ちない試験、言い換えれば落ちたらヤバい試験です。ですから、また別の意味でのプレッシャーがあり、精神的にも厳しいものがありました。

ちなみに二回試験には追試がなく、どれか1科目でもしくじったら不合格。そうなると、１年後にもう一度、二回試験を受けなくてはなりません。

普通は司法修習終了後に内定を得ていますが、とりわけ裁判官、検事の場合、二回試験に落ちたら内定が取り消されてしまいます。ですから、みな必死になって試験にのぞむわけです。

3
時間目

勉強がはかどらないときは、他人の力をとことん利用しよう！

超ズル賢い勉強法 10

愚者は経験から、賢者は外部リソースのノウハウから学ぶ！

講師の能力をピンポイントで活用する

学生なら学習塾や予備校、社会人なら語学教室や各種資格専門スクールに通っている、通っていた方も多いと思います。

ではみなさんは、こうした「外部リソース」をなぜ利用しているでしょうか。学校の授業の予習・復習のため、受験・試験対策、スキルアップなどなど、さまざまな目的があると思います。

しかし、せっかく安くないお金を払ってスクールに通っているわけですから、そうした外部リソースの〝強み〟を最大限に生かす方法で活用できたら、最高だと思いませんか。

ここでは、ほとんど方が通ったことがあり、かつ学生なら通っている方も多く、将来家庭を持ったら子どもを通わせる可能性もある、もっとも一般的な「塾」をモチーフに、考えていきます。

では、具体的に塾をどう活用すべきなのでしょうか。

まず、塾に行く前に学校の宿題や問題集に手をつけておきます。全問、難なく正解に越したことはありませんが、なかなかそうもいきません。

そこで、問題集の解説を読んでもわからなかったことをリストアップします。そして、それを塾の講師に質問するのです。**塾の講師は解答、解説のプロですし、せっかくお金を払っているのですから、彼らの力をピンポイントで有効利用したほうがいい**に決まっています。

塾に通うのは週に2回程度でしょうから、それまでにわからない点や疑問点が蓄積していることでしょう。そこで、塾の講師の力を借りて、自分ひとりではわからない問題点や疑問点をスッキリと解決するわけです。

得点を取るノウハウと、解答法のテクニックは別もの

当然のことながら、塾の講師陣は受験テクニックや解法等のノウハウを数多く持っています。

もちろん、まずは目先の結果ではなく基礎的な知識の理解をしっかり深めることが大事ですが、そうした土台の上に塾講師たちのノウハウを積み上げていくのは、きわめて効果的です。

なぜなら、**プロのノウハウには、自分が知らなかった問題解決への新たな視点や思考方法が詰まっている**からです。その結果、自分の理解力や思考力にさらなる幅を持たせることができます。

また、塾では受験や試験で1点でも多く点数を取ることについてのノウハウも充実しています。

受験や試験は点数が命であることは明白。ですから、**できる限り点数を取った人が、試験という〝戦場〟での勝者**になります。そのため、受験や試験における点数の上手な取り方を学ぶことも、とても重要であることは否定できません。

もっとも、この際に注意しなければならないのは、ノウハウをただ単に暗記するのではなく、きちんと自分の思考回路に組み込むということ。**得点を取るノウハウと、解答法のテクニックは別もの**です。前者を覚えるのは問題ありませんが、後者を暗記してはいけません。

なぜなら、そのやり方以外の問題に応用がきかなくなってしまうからです。そうなると、本番の試験でちょっとひねった問題が出題されたら、一撃でお手上げ状態になってしまいます。

正解を導くテクニックで重要なのは、どうしてそのやり方を用いると問題が解ける

のかという解法自体をしっかりと理解すること。そのように理解を深めることで、初めて自分の理解力や思考力にプラスとなるのです。

先輩のたどった道からゴールへの近道を探り出す

さらに、塾には受験関連のデータが蓄積されています。

塾の問題集、とりわけ学校別に作成されたものは、過去問分析が徹底的になされており、志望校に合格するためにどのような知識や能力を身につければいいのか、といったノウハウが凝縮されているわけです。

したがって、自分の志望校用のテキスト、問題集がある場合は、それらを徹底的に解いていくのが合格への近道となるでしょう（もちろんテキストの丸暗記は絶対に禁物ですが……）。

また、塾ではかつての在籍者がどのような勉強をしていたのかという、個人レベルのデータも充実しています。そのため、**自分と似たような成績の人がどのような問題集を使い、どれくらいの時間、勉強をして志望校に合格したのかという〝経路〟もわかる**わけです。

もちろん、先輩とまったく同じ道をたどれるわけはありませんから、あくまで参考程度のデータとはなります。

間違っても、先輩が使っていた参考書を片っ端から読んでみる、問題集を手あたり次第にトライするということは絶対に避けてください。言うまでもありませんが、人によって理解力や感性は違いますから。

とにかく、勉強の基準は自分に合いそうか、できそうか、そして効率がいいか否かです。このような取捨選択が自分ではなかなかできない場合は、それこそ塾の講師に相談するのもひとつの手でしょう。

ここまで塾を例に外部リソースの正しい使い方を説明してきました。

お読みになればおわかりのとおり、とにかく、**塾や各種スクールには、勉強、とり**

わけ受験、試験勉強のノウハウがたっぷり蓄積されています。

逆にこうした点に不安、不満を覚えるならば、外部リソースの再検討が必要かもしれません。

とにかく安くはないお金を払っているわけですから、そうした過去のデータ、そして講師のノウハウをどう使えば一番有効、かつ効率よく勉強できるのか。

そこを常に意識しながら、勉強してわからない点を、とことん他人の経験から学んでください。

超ズル賢い勉強法 11

人に教わるよりも、人に教えたほうが知識は倍速で身につく！

「わかる」と「できる」のあいだには大きな違いがある！

「塾の授業を受けて内容はよくわかったんだけど、いざ問題を解いてみると、なかなかできなくて……」

こんな経験をしたことは、誰しも一度はあるのではないでしょうか。

私の場合、とくに数学でこの「わかっちゃいるけど解けない」現象が何度も起きました。しかし、高校生の私はここで誤った判断をしてしまいます。

「まぁ解き方はわかったし、理解もできている。今回つまずいた問題はたまたまできなかっただけで、次回はできるだろうから、この問題はこれでおしまい。次の問題に進んでいこう！」

高校生時代の私は、このように「わかっているから、次はできるだろう」という短絡的な考えをしてしまい、結果、試験で出題された同様の問題で見事に撃沈を繰り返していました。

この経験から学べること。

それは、**「わかる」と「できる」は違う**ということです。授業の内容がわかったとしても、必ずしも同種の問題が本番で解けるとは限りません。

どういうことなのか。具体的にジグソーパズルを例に見ていきましょう。

授業を受ける前は、当然のことながら授業の内容、すなわち問題の解き方や理論、数式、文法といったことを踏まえたうえで答えに至るという、いわば「ジグソーパズルの完成図」がわかっていない状態です。

そして、いざ授業となり、教師にそうしたことを教わります。つまり**授業を受ける**

ということは、ジグソーパズルのピースをはめる位置を指示され、そのとおりにはめていく作業といえるでしょう。

やがて、指示どおりにピースをはめていくと、ジグソーパズルは完成します。これが「わかった」、つまり完成図がどういう感じかを把握したという段階です。

では、完成したジグソーパズルをいったん崩し、もう一度イチから自分の力だけでやり直してみたらどうでしょうか。きっと、時間がかかっても完成できるならまだいいほうで、一度見聞きしたくらいでは、再度完成させることなど、非常に難しいに違いありません。

つまり、これが「わかった」くらいでは、「できる」とは言えないということなのです。**同じスピードでもう一度ジグソーパズルを完成させることができるようになって、初めて「できる」という段階に達したと言える**でしょう。

「わかる」と「できる」の違いがわかりましたか。

授業で「わかった」状態では、実は自分の頭で考えるという作業は、ほぼしていないことになります。

ところが、試験などにのぞむにあたっては、当然ガイドなしで進むべき方向を自力で見つけなくてはなりません。ですから、**あらかじめ自分でイチから思考し、ピースを積み重ねられるようにしておかなければならない**のです。そのためには、ゴール＝答えに至るまでの過程を、しっかりと考えながら「復習」する必要があります。

知識を自分のものにする最強、最適なやり方

では、効率よく「わかる」を「できる」に変えるには、どのようなやり方で「復習」すればいいのでしょうか。

手っ取り早いのが、自分が講師の立場、すなわち教える側に回ることです。

前述のとおり、「わかる」を「できる」レベルにまで引き上げるには、多くの問題を解くことなどにより、結論に至るまでの思考過程をしっかりと復習しなければなり

ません。

しかし当然のことながら、その作業はとても時間がかかることでしょう。しかも、復習したところで、知識をしっかりと自分のものにできたかどうか確認する手段がありません。

もちろん試験などがその絶好の機会となりますが、ぶっつけ本番より確実にその前の段階で自身の到達度、理解度を確認できたほうがいいに決まっています。

この点、**人に教えると、自分の理解が甘いところがあれば、うまく教えることができず、相手から質問や指摘を受けることになる**でしょう。そうした個所こそが、自分の弱点だとすぐにわかるわけです。

そしてその結果、そうした**弱点だけを重点的に復習すればいい**ことになります。そして、できればもう一度人に教えてみる。

そのとき、前回と違ってよどみなく説明できるようになっていれば、それが真に「できる」状態だといえるわけです。

このように、人に教えるという行為は、自分の理解レベルを測る絶好の〝ものさし〟になります。しかも、メンドーで時間がかかる「復習」よりも、はるかに効率よくわからない問題や課題に対し理解を深められるわけです。

つまり、**教えるということは、知識を自分のものとする、しかもそれを効率よくやるための手段としては最適、最強のもの**だということ。

しかも、教える相手は誰でもかまいません。親、兄弟、友だち……。どんな相手でも、復習効果が得られます。いまのご時世なら、**離れていてもできる学び合い、教え合いのツールとしてSNSやビデオ通話なども使える**でしょう。

私は司法試験勉強をしていたころ、ロースクールの友人と過去問分析検討ゼミを自主的に開き、参加者それぞれが担当した分野を相互に教え合っていました。この効果はまさに絶大で、ゼミのメンバーは全員一発で司法試験に合格したのです。

一見回り道のように思えて、実ははるかにゴールへの近道となる教え合い、学び合いを、ぜひ試してみてください。

超ズル賢い勉強法 12

ネットを使えば勉強の「はじめの一歩」の試行錯誤を回避できる！

ネットは家にいながら自由に使える〝巨大図書館〟

勉強するうえで、有効利用すれば非常に効果が上がるのがネットの力です。

大学入試、司法試験から英検、漢検などなど、世の中にはたくさんの試験がありま す。その一方で、そうした試験に関する情報はてんでばらばら。充実しているのもあれば、過疎化しているものも少なくありません。

こうした場合、自分で情報を集めなければなりませんが、その際に活用したいのがネットです。

ネットで検索すれば、たとえマイナーな資格試験であっても、資格試験の合格体験ブログがヒットしたり、そこからオススメの参考書が見つけられたりすることでしょう。最近では「質問箱」的なQ＆Aサイトも充実しているので、試験に関する質問を投げかけたら回答をもらえるかもしれません。

もちろん、ネットはこのような情報収集だけでなく、純粋に勉強の知識を深めたり、新しい知識を習得したりするのにも役立ちます。

たとえば、教科書や参考書には載っていないような事実、知識も、ネットで検索すればほぼ間違いなくヒットするでしょう。

しかも、知識を獲得できるだけでなく、その周辺、関連情報、たとえば歴史上の人物であったら、その人の裏話や人間関係、その後の歴史に与えた影響などまで知ることができるわけです。つまり、ネットは家にいながらして自由に利用できる〝巨大図書館〟といえます。

ネットを勉強のツールとして使いこなすことができるようになれば、とりわけ「は

じめの一歩」に試行錯誤する〝遠回りの勉強〟をすることも少なくなるでしょう。もちろん、調べものをする時間も圧倒的に短縮することができます。

ネットにあふれる〝フェイクニュース〟の見抜き方

このような〝時短勉強〟において大活躍すること間違いなしのネットですが、気をつけなければならないことがあります。

それは、情報源がどこかということ。

これは何も勉強に限ったことではなく、ネットの利用全体に当てはまることですが、誰もがネット上に情報をアップすることができるため、正確なものもある一方「フェイク」も多いのが現状です。

ですから、勉強に利用するときは、必ずその情報源の信頼性を確認してください。

ネット上で信頼性がもっとも高い情報ソースといえば、官公庁の公式ホームページ

となるでしょう。

私は弁護士業務でもネット検索をよくします。その際に、まず当たるのがそうした官公庁のホームページ。ここがリサーチのスタート地点となります。

官公庁のホームページは管理体制もしっかりしていますし、国のお墨つきの情報を掲載しているわけですから、信頼性、客観性ともに高いといえるでしょう。ですから、たとえば国家試験の情報に関しては、所轄官庁のホームページから当たるのが正しいといえるわけです。

ちなみに司法試験の情報に関しては、法務省のホームページから入手できます。しかも単なる概要にとどまらず、毎年、各試験の「出題趣旨」、そして採点官が実際に答案を採点して思ったことが書かれている「採点実感」という資料が公表されているのです。

このふたつの資料に、司法試験に合格するためのエッセンスがすべて記載されていると言っても過言ではありません。

話を元に戻すと、官公庁のホームページに次いで信頼性が高いといえるのが、専門家が公表している情報です。**資格試験情報に関していえば、当然のことながらすでにその資格を持っていて、かつ資格を使った仕事をしている人の情報は信頼が置けるで**しょう。

当たり前の話ですが、有資格者が間違った情報を公表すれば、それだけで業務に支障を来しかねません。ですから、情報を公開するにあたって、慎重に正確を期すはずです。

有資格者でなくても、地位や実績のある人、つまり大学教授や研究者などが発信する情報も、信頼性が高いといえるでしょう。先ほどの有資格者同様、専門家であれば責任をもって、自分の意見を述べるからです。

あるいは、先述の国家試験でなく民間の資格試験に関する情報ならば、その試験を運営している団体のホームページが信頼性の高いものになります。こちらも同じく、そうした団体がいわば専門家だからです。

逆にそれ以外の情報源については、信頼性の担保が取りにくいのが現実です。一見信頼できそうなサイトでも、間違った情報が掲載されていることもよくあります。最近、とくにテレビの情報番組で誤った情報を流し、あとで謝罪という流れを見ることが多くありませんか。この大きな原因のひとつが、ネットの記事の信ぴょう性を確認することなく（いわゆる〝裏どり〟をすることなく）、そのまま放送してしまうからなのです。

もちろん、**ネットメディアでも早とちり、誤報は頻繁に発生している**のはご存じのとおり。スピードがますます重視されるようになった結果、発信する情報を精査する時間がない、あるいはそうした過程をはしょっているから、こうした間違いがひんぱんに起こるわけです。

このように、ネットの情報はまさに玉石混交。そもそも、誰でもアクセスでき、しかも基本的にはタダなわけですから、正しい情報、フェイク情報が入り乱れるのも致し方ないといえるでしょう。

したがって、ネットを活用して勉強する場合には、「情報が誤っているかもしれない」という意識を常に持っておくのが重要です。


ちなみに、司法試験には短答式試験というマークシートの試験があります。この試験が終わると一斉に民間の予備校が解答速報を出すのですが、それらを比較してみると、実は予備校ごとに答えが違うことが多々あります。

やはりスピード重視の結果、そうなっているのでしょうが、**予備校といういわば専門家ですら、正確な情報をスピーディーに出すのは難しい**ということ。それだけ、ネットで情報収集、学習する際には、注意が必要なのです。

COLUMN

3

司法試験って本当のところどうなの？

改めて見直しても、やっぱり思う「遊び」「休み」の大切さ

司法試験が持つ巨大なプレッシャーに負けないためには、やはりちゃんと勉強したという「実感」と、それにもとづく「自信」が必要なのは言うまでもありません。

私自身、司法試験対策のスタートはロースクールに入ってからですから、法学部時代からコツコツとやってきた人に比べたら、大幅に勉強は遅れています。

しかし、本文で紹介した「超ズル賢い勉強法」を使って濃密な日々を送ったので、試験当日は「平常心でやれば落ちるはずがない」という自信をもって、チャレンジできました。ただしより正確に言えば、精神的に負けないよう自分

自身をそう「洗脳」していたところが大ですが（笑）。

ともあれ、まずは司法試験勉強時代の大まかなタイムスケジュールを紹介しましょう。

ロースクールの授業がある日

8時30分：起床
9時30分〜17時ごろ：授業（カリキュラムにより多少の変動あり）
18時〜22時：自主勉強または自主ゼミ
23時：帰宅→自由時間
25時：就寝

ロースクールに登校した日も、合間時間を見つけては自習室で勉強していました。では授業がない日は、どのように過ごしていたのでしょうか。

ロースクールの授業がない日
9時30分：起床
11時〜19時：自主ゼミ
19時〜：友人との飲み

スケジュールに記載した「自主ゼミ」とは、友人とともに司法試験の過去問検討をしていた時間のことです。

見たらおわかりのとおり、長時間ぶっとおしでやっていたので、自主ゼミが終わるころには疲労困ぱい。そのあとさらに勉強する気など、とてもではありませんが起きません。

ですから、こうした日は自主ゼミが終わると、友人と飲みに行ったりしてリフレッシュしていました。

本文でも触れたように、こうしたオンオフの切り替えは長期間勉強を継続するには必須です。

最後に司法試験直前のころを見てみましょう。

司法試験2カ月前〜直前

- **7時**：起床
- **8時〜12時**：自主勉強
- **13時〜16時**：友人と雑談
- **16時〜18時**：自主勉強
- **19時**：帰宅→自由時間

ロースクールの卒業は3月、そして司法試験は5月なので、2カ月間は完全に自主勉強となります（ただし、2020年はコロナの影響で8月に延期されました）。

私がこの直前期に心がけていたことは、体の健康と精神状態の安定です。健康のため、そして試験当日のスケジュールに合わせるため、早寝早起きを心がけていました。

また、右にもあるように友人との雑談、そして帰宅後の自由時間も重要です。こうした、プレッシャーから解放される時間があったからこそ、試験でも落ち着いた気持ちをキープできたのだと思います。

本文でも触れましたが、私自身、このように決して勉強だけをしてきたわけではありません。なぜなら、メリハリ、オンオフの切り替えがなければ、必ず途中で挫折してしまうからです。

みなさんも、強弱をつけながら勉強に取り組んでみてください。きっと継続できるはずですから。

4
時間目

試験という一発勝負に絶対に負けない戦略

超ズル賢い勉強法 13

試験は時間が限られているからこそ、他人に差をつけることができる！

難易度の高い試験になればなるほど時間が足りなくなる！

ここまで、さまざまな勉強効率化について説明してきました。
もちろん、趣味で勉強する人もいないことはないでしょうが、ほとんどの人は何らかの目標に向かって勉強していると思います。その目標の大多数を占めるのが、おそらく試験の合格でしょう。

入試、資格試験、あるいは昇級試験等々、さまざまなテストがありますが、いずれに共通すること、それは当たり前のことですが、いかなる試験にも制限時間があるということです。つまり時間との戦い方が、非常に大事になってきます。

そこで、この「4時間目」では、まず「試験時間」というものの考え方についてアップデートしていきましょう。

当然のことながら、試験に合格するためには制限時間内に合格点をゲットしなければなりません。こう言われると「当たり前だろ！」とツッコミたくなるでしょうが、実際のところ、この時間を意識して試験本番にのぞむのはとても難しいと思います。

なぜなら、試験では何よりも「勉強してきたことすべてを試験用紙にぶつければ、絶対に受かる！」という気持ちがみなぎるから。この思いが強すぎるがため、1問目からミスをしたくないといつもより慎重になります。

ところが、2問目、3問目と続けているうちにどうなるか。

頭から全力を出しすぎ、後半には確実に時間が足りなくなります。そして、タイムオーバーからのゲームオーバー、つまり不合格となってしまうわけです。

そこで、まず覚えておいていただきたいのは、試験は一にも二にも時間との戦いだということ。

実は、**難易度の高い試験になればなるほど、時間が足りなくなるように設計されています**。極端なことを言えば、そもそも全問解答できるような時間設定になっていない試験もあるのです。

なぜ、そんな理不尽ともいえる構成が許されるのか。

それは、試験をやることによって、合格者と不合格者をスピーディーに選別しないといけないからです。

全員が時間をかければできる問題を、全員に解答できる試験時間を与えて解かせても点数の差はつきません。つまり、**試験時間は受験者をふるいにかける手段のひとつ**なのです。

したがって、試験に合格するためには、試験時間内でライバルより1点でも多く取ることを、何よりも意識してください。試験は合格、不合格を選別する手段として使われるだけなので、自分がどれだけ勉強したか、どれだけの知識があるかをアピールしてもまったく意味がないのです。

現に私は大学受験勉強時代に、まさに答案で自分の勉強アピールをするというしくじりを繰り返していました。

たとえば、歴史の論述問題で得意な分野が出題された際、勉強して得た知識をこれでもかと答案用紙に書きました。しかし、テストが戻ってくると、私の記述の2割くらいの部分にだけ線が引かれ、得点が表示されていたのです。

つまり、**線が引かれていない残りの8割の記述は無得点**だということ。言い換えれば答案にかけた時間と労力は、まったくのムダだったということが、一度ならずあったのです。

「問われていることのみに答える」

これが試験です。決して勉強したことをアピールする場所ではありません。

だからこそ**意識すべきは、自分のこれまでの蓄積をいかに発揮するかではなく、いかに時間内に多くの問題に答えられるかということ**。この点が合否を分けるという意味を、改めてしっかりと頭の中で考えておいてほしいと思います。

実は試験は1問目から解いていってても間違いではないが……

このように、試験時間内でできるだけ点数を稼ぐには、時間配分がもっとも重要なポイントになってきます。

では、どのように限られた時間を割り振ればいいのか。

試験時間や難易度、解答方法が異なるため若干抽象的ではありますが、イメージは次のとおりです。

①見直しや予備の時間をあらかじめ考慮しておく（試験時間の10%～20%、60分の試験なら6～12分）

②問題全体に目をとおして、それぞれの問題に残りの時間を割り当てる

「これだけ!?」と思われるかもしれませんが、これらを手際よくやるためには、試験そのものの特徴を相当熟知していないとできません。解答するのにどれくらい時間がかかりそうかということは、同様の問題にチャレンジした経験がないと見当をつけづらいでしょう。

また当然、設問数、問題構成といった過去の出題傾向も知っておかないと、時間配分はうまくできません。そのためにも、後述するように過去問の徹底検討が必須となるのです。

さらに、**時間の割り振りと同時に重要になってくるのが問題解答の順番**。

おそらく、ほとんどの人は試験の1問目から解き始めることでしょう。「これが間違いなんです！」と言えればインパクトもあるのでしょうが、**最初の問題から解いていくこと自体、実は何ら問題ありません**。

試験の時間はこう使おう！

試験時間	回答時間（80〜90％）	見直し時間（20〜10％）
45分	36〜40.5分	9〜4.5分
50分	40〜45分	10〜5分
60分	48〜54分	12〜6分
90分	72〜81分	18〜9分
120分	96〜108分	24〜12分

試験時間が長いほど余裕を持たせる意味で見直し時間を多く取るのがオススメ！

ではなぜ、わざわざ順番が重要だと述べたのか。

先に取り上げた1問目とは、基本問題であることが大半。ですから、素直にそこから始めてOKということなのです。

ただし、ここで気をつけなければならないことがあります。それは、**意図して最初の問題から解いていくのと、意図せず最初の問題から解いていくのとでは、まったく意味が違ってくるということ**なのです。

先ほど、試験はいかに時間内で点

数を稼ぐかが重要だと説明しました。ですから、点数の取りやすい問題、点数が高い問題から解いていけば、もっとも効率よく点数を稼ぐことができるのが当然の結論となります。

となると1問目は先述のように基本問題で、そのため得点しやすく設定されていることが多いので最初に解く。ただそれだけなのです。

逆に過去の傾向から、1問目にひねった問題が出されがちな試験を受ける場合、あるいは、1問目を読んで、ちょっと難易度が高いと感じたのでしたら、それを飛ばして、ほかにあるであろう基本問題から解くべきでしょう。

ですから、**難易度や配点を意識せず、ただ最初の問題から解き始めるというのは「危険行為」**だということになります。これが先ほど述べた、意図して最初の問題から解いていくのと、何も考えずに最初の問題から解いていくのとでは、まったく意味が違ってくるということなのです。

時間配分ミスを防ぐ「自分ルール」をつくれば安心！

もちろん、試験では基本問題だけでなく応用問題も出題されます。したがって、応用問題でも点数を稼ぎにいかなければなりません。

しかし、応用問題は基本問題と異なり解答するのに時間を要します。そのため、1問に時間をかけすぎてしまい、ほかの問題にも同じエネルギーでトライできなかったということが「試験あるある」となるわけです。

たとえ時間配分をしていても、いざ問題に取り組むと時間をかけた分、解答になんとかたどり着こうとしてしまうもの。その結果、ついつい時間配分を破ってしまうため、タイムオーバーになってしまう……。

ですから、**問題に解答する際、実は自制心を保つことも大事**なのです。

では、どうすればいいのか。私が司法試験対策でとった作戦を紹介しましょう。

司法試験では、「短答式試験」というマークシート方式の試験もあります。ところが、マークシートであるにもかかわらず、1問目から超難問が出たり、基本問題と応用問題がごちゃ混ぜになっていたりするなど、さすが司法試験というカオスぶり。

そのため私は、以下のように対応しました。

まず、すべての問題にざっと目をとおし、毎年の傾向と異なるところがあればその点に注意し、1問あたりにかけられる時間を、おおむね均等に割り振ります。

次に、マークシート問題という形式上、基本問題か発展問題かが瞬時に判別しにくく、かつマークミスを防ぐため、最初の問題から解き始めます。

ただし、答えに不安が残る問題に関しては、とりあえず「これだろう」という選択肢をマーク。即、次の問題に移り、全問の解答がひととおり終了したあと、あまった時間で答えに自信のなかった問題に戻って、時間の許す限り再考するようにしました。

このように**一度ルールを決めてしまえば、試験時間の使い方は、どんなタイプにも応用可能なので、気もラクになる**わけです。

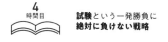

解ける問題、解けない難題を瞬時に見分けるトレーニング法

ここまで見てきた時間配分ができるようになるには、やはり普段の勉強のときからの〝意識〟が大事です。

試験本番で適切な時間の割り振りを行うためには、それぞれの問題に自分がどの程度時間がかかるか、把握していないといけません。また、時間をかければできる問題もあるでしょうが、この場合、**「できる」はあくまで「試験時間内でできる」を意味する**のは当然のことです。

こう考えると、自然と今後の勉強方針が明確になります。具体的には、まず必ず試験本番同様の制限時間を設けて解いてみてください。

その結果、次のような勉強方針が得られるでしょう。

①できた問題→解き方が身についているのでこの調子をキープ→本番でも確実に点数を稼げる問題

②できなかったが、復習で時間をかけたらできた問題→類似問題を何回も解いて解答時間のスピードアップを図る→本番でも得点源になりうる問題

③時間かけてもできなかった問題→復習してもイマイチわからない→本番でも得点源になりにくい問題

このように、時間を意識して解いていくと、問題を①〜③に分類することができます。すると、試験で時間切れになってしまう原因のひとつとして、普段から時間を意識して勉強せずに、②の系統の問題を①だと勘違いしていることに気づくでしょう。

そして、このように理解できたら、まずやるべきは②を①に昇格させることです。そして時間に余裕があれば③を②または①に昇格させましょう。

以上のように、**普段から試験時間を意識して勉強すると、自然と本番でも時間配分ができるようになる**わけです。

超ズル賢い勉強法 14

過去問さえ分析しておけば、合格の可能性はグンと上がる！

時間配分の訓練は過去問でしかできない！

前の項で時間の配分方法がわかるよう、解いた問題を①〜③のタイプに分けるというやり方を説明しました。では、いったいどんな問題が、時間配分の分析に適しているのでしょうか。

それは、ズバリ過去問です。

適切な時間配分を行うためには、試験の出題形式、出題傾向、出題数などの特徴をしっかり把握しておかないといけないことを前の項で説明しました。

つまり、必ず**時間をしっかりと意識しながら過去問を解くことが、合格に近づくための秘けつとなる**のです。

事実、過去問には次のような特徴とメリットがあります。

①過去問から試験本番と同等の難易度と出題数が推測できる
→時間配分の訓練、できる問題、できない問題（P155で説明した勉強方針①〜③）のあぶり出しに最適

②過去問から試験本番の問題の出題傾向がわかる
→どのような勉強をすべきか勉強の方向性が明確になる

③過去問から問題ごとの配点や正答率がわかる
→どの問題が基本問題でどの問題が発展問題か、また、どのような問題の正答率が高いかが明確になるため、点数を稼げる問題、あるいはできるレベルにまで持っていくべき問題が明らかになる

①は過去問なので当然と言えば当然ですが、試験本番の問題と同等の難易度、設問数の問題にチャレンジできます。逆に言えば、試験本番の問題と同等の問題構成をした問題集は過去問以外にありません（資格試験によっては試験予備校が独自でつくる予想問題集や模試の問題集もありますが……）。

したがって、**時間配分の訓練は、基本的に過去問以外で行うことは不可と言っても過言ではない**のです。

また、③のように配点や正答率がわかると、どの問題を優先して解くべきか、どの問題に時間を多く使うべきかが判明するので、それに応じた時間配分のカスタマイズが可能となります。

たとえば、過去問を分析することで、次のような分類ができるでしょう。

Ⓐ簡単で正答率が高い問題
Ⓑ簡単で正答率が低い問題

Ⓒ難しくて正答率が低い問題

そうすると、問題の解く順番をⒶ→Ⓑ→Ⓒとしていけば、必然的に一番高い点数を取ることができます。

では、Ⓑの問題はなぜ簡単なのに正答率が低いのでしょうか。この場合、Ⓑの問題が全体の後半部分にあったことが考えられます。

つまり、おそらく時間が足りなくて後半の問題を満足に解けない人が一定数いたため、正答率が上がらなかったのです。ですから、実は**後半にあるⒷの問題を早目に解いてしまえば、合格に一歩近づいていた**ということになります。

一方、Ⓒの問題に関して分析すべきは、果たして時間があれば解ける問題なのか、あるいは時間があっても厳しい問題なのかということ。

前者の場合は時間配分を多めにすれば解決できますし、後者の場合は全体の時間配分との兼ね合いを考え、「こりゃ、時間がかかりそうだ」と感じた瞬間、違う問題にアタックすればいいのです。

また、後者のような問題は、正答率が低くあまり合否に影響を与えていないと考えられるので、こうした問題を取りにいくより、前者のような**しっかり考えれば解けそうな問題に時間を回したほうが、より効率的に得点を稼ぐことができる**でしょう。

こうして、過去問を分析することによって、時間配分をカスタマイズし、解答する問題に優先順位をつけることができます。そしてその結果、**試験の本番で時間と労力のムダが格段に減り、合格を引き寄せることができる**のです。

ちなみに、司法試験は異様な量の問題が出題されるので、時間配分のミスがそのまま命取りとなります。おそらく制限時間の2倍の時間があれば、それなりの答案を書けるのかもしれませんが……。

そのため私は、司法試験の過去問にチャレンジする際、とにかく時間を意識して何度も問題を解き、その配分のイメージを頭に叩き込みました。

司法試験の記述問題では、途中までどれだけ深く考察した答案を書こうと、時間切れで最後まで書けなかった答案に対して必ず厳しい評価がされます。それよりも、とくに深い考察がなされているわけではないが、問いに真正面から解答し、基本的事項を押さえた〝平凡な答案〟のほうが、高く評価されるのです。

そうしたことから、**とにかく時間をかけずに簡潔に答えを書くということを徹底して練習**しました。

このように、過去問、過去の傾向、そして時間を意識することで、難関も突破できるようになるわけです。

試験の傾向をつかめば、勉強時間の〝時短〟につながる！

P157で紹介した過去問の特徴の②に戻りましょう。

ここにあるように、過去問を分析すれば何をどう勉強すればいいのかもわかってきます。

たとえば、この分野では知識問題をよく出題していて、この分野では考えさせる問題が頻出しているなといった具合です。

このように、**試験の傾向がつかめると、勉強の範囲や量を大きく絞ることができ、勉強時間の〝時短〟にもつながります。**

私の経験で言うと、司法試験は出題範囲が膨大なので、そのすべてを勉強するのは不可能です。したがって、過去問分析を行い、合格に必要なスキルを効率よく身につけられる勉強に絞らなくてはなりません。

しかし、実に多くの受験生がそのような絞り込みを怠っています。結果、「また今回もダメだった……」の繰り返しになってしまうのです。

もちろん、傾向はあくまで傾向にすぎません。今年までの傾向が、来年突如変わることもあるでしょう。

しかし、少なくとも**過去問分析をすることによって、試験に合格するための勉強の〝ベクトル〟を大幅に間違えることはなくなります。**

ですから、過去問分析の結果として得られた勉強指針にしたがい、自信をもって勉強するのがオススメなのです。

以上のように、過去問分析は試験に合格するための〝最優先課題〟となります。**勉強時間が十分に確保できない社会人であっても、最低限、過去問分析さえしっかりやっておけば、合格の可能性はグンと上がる**のです。

実は、しくじった大学受験の勉強と、成功した司法試験の勉強において、私がもっともドラスティックに変革したのは、この過去問分析でした。

大学受験勉強でも、いわゆる「赤本」と呼ばれる過去問題集には取り組んでいましたが、ここまで説明してきたような分析などしていません。時間も測らず、ただ過去に出た問題だから、みんながやっているから、という理由だけで漫然と取り組んでいたのです。

それどころか、「過去問と同じ問題なんか出るわけないんだから、逆にやる意味なんてなくね？」とまで思っていました。これは、いま思い起こせばまったく意味のない勉強です。

しかしその後、司法試験の膨大な出題数を前にして、過去問分析の大切さを痛感しました。そして過去問分析を中心に進めた結果、確実に手ごたえを感じ、勉強の質も向上したのです。そして、最終的に大学受験の失敗を挽回することができました。

もちろん過去問分析の有無がすべてを左右するとまでは言いませんが、合理的に考えて合否に大きな影響を与えることは間違いありません。これだけは強く断言しておきましょう。

参考書はメジャーなもの1冊以外いらない

ここで、みなさんはこう思われるかもしれません。

「過去問の重要性はなんとなくわかったけど、じゃあ、普通の参考書はいらないってわけじゃないよね？」

私としては過去問分析を第一に優先すべきと考えてはいますが、当然、参考書や問題集を使って、勉強することも重要だと思います。

では、みなさんは購入した参考書を、どの程度やり込んでいる、あるいはやり込んでいたでしょうか。さらには、参考書を何冊くらい購入したのでしょうか。

私の場合、大学受験時代において参考書は何冊も持っていましたが、とことんやり込むことができた参考書は、1冊もありませんでした。

そのため、模試や別の問題集に取り組んだ際、間違えた問題にどこかで見覚えがあると思って参考書を開くと、同様の問題をすでに解いていたという経験が何度もあったのです。

何冊もの参考書、問題集にトライすれば、より多くの問題にあたることができるため、試験で対応できる問題が増える可能性は高くなります。

しかし、その反面、勉強の質が落ちることは間違いありません。ひとつひとつの勉強の完成度が低くなり、試験本番で、結局その成果を発揮できないまま終わり、という危険性をはらんでいるのです。

一方、**1冊の参考書をやり込めば、その内容に習熟することになるので、試験で内容がピタッとハマれば、かなりの確率で解答できる**でしょう。しかし当然のことながら、参考書ではほとんど触れられていないような類の問題が出題されれば、対応できません。

そうなると、どっちもどっちに思えますが、実は違います。

たしかに参考書に記載のない問題が出たらお手上げの可能性大ですが、おそらくどんな参考書でも、基本事項は網羅しています。ということは、お手上げ問題は、発展・応用問題だということ。

こうした問題は、ほかの多くのライバルも解けないでしょう。ですから、それらは捨ててしまえばいいわけです。

つまり結論としては、1冊の参考書を読み込んだほうが、実際のテストに役立つということ。私の経験則からいっても、**何冊も参考書を読むより、1冊をしっかりやるほうがメリットがあること、間違いありません**。

あの参考書が人気の高いのにはワケがある！

先ほど、参考書に記載のない問題は、ほぼ間違いなく発展・応用問題だと言いました。なぜ、そう断言できるのか。それは、よほどのハズレでない限り、どの参考書もそれなりに出来がいいからです。

では、出来がいいとは、どういうことなのでしょうか。

そもそも、参考書も〝商品〟ですから、販売されている以上売れなければなりません。売れるためには、その参考書を使った人がどんどん合格し、「この参考書は使える！」と高い評価を得る必要があります。

ですから、出版社としては、各年度、各学校の試験問題をしっかりと分析し、大きくトレンドからズレない、精度の高い参考書をつくるはずです。

このようにして完成した参考書ですから、当然、基本的な知識や問題は網羅しています。したがって、このような参考書を1冊完璧にやり込めんでもなお解けないような問題は、これまでの試験傾向にない意表を突いた問題か、発展・応用問題であるといえるわけです。

さらに**人気の高い参考書は、それだけ多くの合格者に読まれてきたということ。当然、内容の充実度や信頼性は高い**といえます。

では、そうしたいい参考書を見極めるには、どこに注目すればいいのでしょうか。ポイントは次の4点です。

①周りの受験生の多くが使っているかどうか
②同じ目標を目指していた先輩の多くが使っていたかどうか
③ネット上（ツイッターなどのＳＮＳ）や受験関連サイトでの口コミで高い評価を受けているかどうか
④書店やアマゾンでの売れ筋ランキングの上位にあるかどうか

これらをチェックすれば、簡単に参考書を絞り込めます。

ただしなかには、あえてマイナーな参考書を選んで、ほかの受験者との差別化を図ろうとする人もいることでしょう。ところが、これは戦略ミス。失敗につながる可能性大といえます。

なぜなら**差別化を図るなら、まず、受験者の多くが解ける問題は解けるようにしなければならない**からです。そこができなければ、そもそも高得点は望めません。つまり、差別化を図るための参考書は2冊目から、ということになるわけです。

以上のことから、勉強時間がなかなか確保できない場合は、メジャーな参考書を1冊だけでいいので、トコトン読み込んでください。それができれば、合格ラインへぐっと近づくことができます。

どうしても、ほかの参考書が気になる場合も、1冊目をやり込んでから手を出すこと。よっぽど時間に余裕があるのであれば、2冊目も1冊目と同様にしっかり読み込めば、格段に知識も増すことでしょう。

超ズル賢い勉強法 15

出題者の意図を読み解けば、さらに高得点をゲットできる！

人によって求める解答は違っている！

さて、ここからは心理、精神面でのコツをご紹介していきましょう。

いざ、試験本番を迎えました。では、どのような気持ちで試験問題にぶつかればいいのでしょうか。

試験問題というのは、当然のことながら人間がつくっています（近い将来はＡＩかもしれませんが……）。ということは、**試験には必ず作成者の意図が込められている**

わけです。受験者は、そうした問題作成者の意図に寄り添いながら、試験にのぞむ必要があります。

といっても、特別な能力など必要ありません。おしなべて**作成者が意図するものとは、つまりは試験を通じて身についていてほしい能力があるかを確認したい、ということ**なのです。

たとえば、学校での定期試験を思い出してみてください。

定期試験の点数が、そのまま成績に反映されます。となると、定期試験を作成している学校の先生の意図は、当然、生徒が授業の内容をちゃんと理解しているか、基本的な学習が身についているか、先生の話をよく聞いていたか、といったことの確認となるでしょう。

授業で扱っていない範囲や、とっぴな思考が求められる問題が出るはずありません。

そう考えると、おのずと授業の内容で先生が「ここは重要だぞ」と言って教えたところ、先生がなぜかほかより詳しく、しつこく説明したところ、何度も授業で復習されられたところが、試験問題となることが予想できるでしょう。もちろん、先生の解説をしっかり聞いていたことがわかるように解答すれば、高い点数をもらいやすくなります。

また、**資格試験においては、作成者としては資格を持つうえで絶対に必要な知識や考え方がしっかりと身につき、それをきちんと仕事に生かせるかどうか、というところを確認しにくる**でしょう。

そのため、基本的な知識をそのままではなく、ひとひねりある問題が出題されることが予想されます。

それをあらかじめ頭の片隅に置いておけば、試験本番で、たとえ基本問題でも何かひねりがきかせてある、あるいは引っ掛けが仕込まれているかもしれないと慎重にかまえられるので、問題文のワナにハマる確率も低くなるでしょう。

司法試験においては、基本的な法的思考能力と事例分析力が身についているかどうかを確認する意図のもとに、問題が作成されています。ですから、解答する際には、「安心してください。そうした能力はしっかり身についていますから」と作成者に伝わるように意識しながら解答すればいいわけです。

このように試験問題には、必ずそれを出題した意図があります。その**意図をくむことを解答する際に忘れなければ、より高得点が望める**ことでしょう。

試験は問われていることに答えるだけでいい

こうした意図を読み解けるか、読み解けないかで、とりわけ大きく結果が分かれるのが記述式問題です。記述式の問題はマークシートなどの選択問題よりも配点が大きく割り当てられていることが多いので、ここをうまく解答できれば、大量得点も期待できるでしょう。

では、どのようなことを意識して、記述問題に解答すればいいのでしょうか。

まず**絶対やってはいけないこと。それは、自分が持っている知識を目いっぱい披露することです**。

いろいろと勉強してきたことをアピールしたい気持ちはわかりますが、**問題の趣旨に合っていない限り、どれだけ詳しく書いたところで0点**です。

記述式の問題には答えるべき主題があります。場合によって、その主題は複数ありますから、それらをより盛り込めば盛り込むほど点数は上がるわけです。

だからこそ解答する際は、試験の意味と、出題者がなぜこの問題を出したのかをパッと考え、問いに対し奇をてらわず淡々と解答していくのが常道となります。

また、よく「この問題に対し、200字程度で答えなさい」というような問いを見たことがあるでしょう。そこで「程度」を拡大解釈して、あれもこれもと字数オーバーしてまで書いてしまう人がいますが、はっきり言って労力のムダです。

と言いましたが、P145でも少し触れたように大学受験生時代の私が、まさに「200字程度で」と言われても300字くらい書いてしまう人間でした。それだけ書けば、どこかの記述が得点要素としてヒットするのではないかと考えていたのです。

ところが、まったくの思い違いでした。

200字程度と書いてあるのは、多少言葉の使い方や接続詞の数によって解答の文字数が前後することを想定しただけのこと。その**文字数には、問題の要旨にさえ答えれば200字くらいで十分、という出題者の意図が込められていた**のです。

このように、大学受験時代に出題者の意図を軽視して失敗した私は、司法試験を受けるに際しては、その意図は何なのか、それに対してどのように論述してほしいのか、ということに最大限の注意を払いました。

そして、それに粛々と答えることを心掛けた結果、首尾よく合格することができたのです。

出題者の意図を読むということも、ぜひ本番で心がけてみてください。

超ズル賢い勉強法 16

人より1点でも多く取るために、問題の攻め方はこう考える！

難問を解いただけでは、ライバルに勝つことはできない！

世の中の試験には、およそふたつのタイプがあります。

ひとつは、上位○○名が合格というように、試験において受験者同士の点数を比較して合否を判定する相対評価。

もうひとつは、○○点以上は全員合格というように、合格点を満たしているか否かで合否判定する絶対評価です。相対評価の代表例は大学入試、絶対評価の代表例は運転免許試験と考えてみれば、イメージもつくことでしょう。

そうなると、**受験などの相対評価の試験の場合は、ライバルより1点でも多く取れば勝ち**、ということになります。

では、どのような戦略でライバルを出し抜けばよいのでしょうか。

そもそも「ライバルより1点でも多く点数を取る！」となると、どうしても他人ができないような難問を解けるようにならなければと思ってしまいがちです。しかし、実際はそんなことありません。

逆に**多くの受験生が解けそうな問題を取りこぼさなければ、結果的にライバルより1点多く点数を取ることが可能**なのです。

どういうことか。

たとえば合格点が60点、合格率70％の試験の場合で見てみましょう。

この試験の各問題の配点は、計算を単純化するため1問5点の問題が10問、1問10点の問題が5問、合計15問で100点満点とします。そのうえで1問5点の問題の正答率が70％、1問10点の問題の正答率が20％だったとしましょう。

この場合、正答率70％の問題は受験者の半分以上が正解できるいわば「基本問題」で、正答率20％の問題は、たとえ合格した人でもあまり解けなかった「応用問題」となります。

この基本問題の正答率70％とは、あくまで全受験者のなかで7割の人が正解したという結果にすぎません。したがって、当然のことながら、正答率70％の問題に正解しても不合格の人は存在します。

その一方で、**基本問題10問のミスをなるべく少なくするだけでも、かなり合格に近づく**ということにもなるわけです。受験者の7割が正解できる問題なので、基礎をしっかりと理解していれば、10問正解も難しいことではありません。

基本問題がノーミスであれば、あとは応用問題1問正解で合格です。応用問題の正答率が20％ということは、ライバルたちも苦戦しているはず。ですから、できなくてもそこで落ち込んだり、あわてたりする必要などないのです。

取りこぼしさえしなければ合格にぐっと近づく！

先述のように、この試験の最低合格点は60点です。そして、サンプルとして抜粋した4人の受験者の試験データを比べると、次のページの図のようになりました。

さてどうでしょうか。

A君は合格したB君、D君より応用問題が解けているにもかかわらず、基本問題をミスしたばかりに不合格となってしまいました。

C君に至っては応用問題5問中4問正解、つまり正答率80％と受験者平均の4倍も得点したにもかかわらず、やはり不合格です。試験に手応えを感じたのに、予想に反して不合格だったという経験がある人は、このA君、C君パターンだったのではないでしょうか。

一方、B君とD君は着実に基本問題をミスなく正解した結果、応用問題が周りより解けていなくてもしっかりと合格しています。

受験者	正答率70%の問題の正解数	正答率20%の問題の正解数	合計点数	合否
A君	5問正解（25点）	3問正解（30点）	55点	不合格
B君	**8問正解（40点）**	**2問正解（20点）**	**60点**	**合格**
C君	3問正解（15点）	4問正解（40点）	55点	不合格
D君	**10問正解（50点）**	**1問正解（10点）**	**60点**	**合格**

このように、大勢のライバルができる基本問題だけでも確実に正解できれば、かなり合格に近づけるわけです。

さらに上の図からは、逆に基本問題を落とすと、それだけ不合格に近づくこともわかります。

当然のことながら、正答率70%の問題より正答率20%の問題のほうがかなり難しいわけですから、2、3問正解できれば上出来というべきでしょう。

しかし、C君のように基本問題を落としてしまうと、応用問題ができても不合格になってしまいます。

この項で取り上げた試験では、基本問題、応用問題ともに配点は50点です。となると、**取りやすい基本問題の50点を確実に取りにいくほうが効率がいい**に決まっています。逆に取りやすい問題を落としたら、挽回はかなり苦しくなるといえるのではないでしょうか。

これを見てもわかるように、受験者のほとんどが正解できるような基本問題は、絶対に落としてはいけません。

本書では、何度もしつこいくらい基本が大事であると述べてきました。それに加えて、基本問題をしっかり正解する、ミスをしないということが、試験にのぞむにあたりいかに重要なことか、おわかりいただけたかと思います。

COLUMN 4

司法試験って本当のところどうなの？

忘れちゃいけない「あきらめたら、そこで試合終了」ってこと

司法試験ほど精神的、肉体的に疲弊する試験はないと思います。

約6時間の試験を受け続ける体力もさることながら、「落ちたらまた1年勉強して、もう一度この試験を受けなければならないのか……」という、これまでに経験がない重圧が襲いかかってくるからです。

この圧倒的プレッシャーを実感したのは、司法試験に一緒に合格した友人との酒席で、当時を振り返ったときのことでした。試験当日の行動についての話題になった際、まったくといっていいほど記憶がないのです、私も友人も。

試験日の断片的記憶（緊張からくる腹痛で試験開始5分前までトイレにこも

っていたことなど）は多少残っていました。ところが、試験会場へどう行き帰りしたのか、試験後、自宅に帰って何をしたかという記憶が一切ありません。さらに驚いたのが、試験休養日のことを、まったく覚えていないこと。

あとにも先にも、このような経験をしたのは1回きりなので、当時いかに精神的疲労がキャパシティを超えていたのか、いまならよくわかります。

このように司法試験はプレッシャーとの戦いです。「精神面で負けた人から落ちていく試験」と言っても過言ではありません。

たとえば司法試験初日の試験でミスをしたことに気づいたとき、「ああ、もうダメだ、もう取り返せない……」と落ち込んでしまうと、その時点で合格は難しいでしょう。なぜなら、ただでさえプレッシャーが半端ないのに、このような〝気持ちの弱さ〟が加われば、次の日の試験に確実にネガティブな影響を与えてしまうからです。

誰だってミスはします。問題はそのあとの気持ちの持ち方です。

事実、私は2日目の民事訴訟法という科目で、とんでもないミスを犯しました。試験中に「あっ!!」と思いましたが、ときすでに遅し。実際に評価も最低だったのです。

さすがに落ち込みはしましたが、「1科目くらいの撃沈は取り返せる」という先輩たちの経験談もあったので、ここぞとばかりにそれを〝妄信〟して、「まだ大丈夫だ」と根拠のない自信をふるい立たせました。

このように、司法試験は精神的に負けた人、あきらめた人から脱落していきます。しかし、これは何も司法試験に限ったことではありません。ほかの試験であっても仕事であっても、ミスをしたときにあきらめるか、あきらめないかが成功への分岐点となるのです。

「あきらめたら、そこで試合終了」。

大事なときこそ、このことを忘れないでください。

5
時間目

そもそも勉強なんて目的達成のためのツールにすぎない

超ズル賢い勉強法 17

目標が定まった瞬間、勉強は半分終わったようなもの

好きなことに没頭するとチカラも伸びる！

最後に試験に合格する、成績をアップさせるという〝俗物的な視点〟からちょっと離れて、長期的な視点、すなわち「勉強をする本当の意味、意義とは何ぞや」という根本の部分を考えてみたいと思います。

本書でも見てきたように、勉強に対して自主性がないうちは、なんとなく机に向かって宿題や課題をやり、わからない問題はそのまま放置するため、知識がなかなか身

につきません。

また、長時間机に向かっていれば勉強しているように見えるので、ただ椅子に座ってボーっと時間が過ぎるのを待ったり、スマホゲームやマンガを読んだりして、貴重な時間をムダにしてしまったことも多々あったでしょう。

当たり前の話ですが、このようなことを繰り返していたら、いつまでたっても自分の「チカラ」を伸ばすことなどできません。

知識をつける、時間を有意義に過ごす、集中力を養うといったことを目指すならば、イヤイヤ勉強するよりも、好きなことに没頭するほうがはるかに効果的です。

やはり勉強に関して、知識や思考力をつける、集中力をつける、時間の使い方や効率化を学ぶには、目標を持ち、その目標に向かって努力するということを「自主的」にやらなければなりません。

視点を変えて、**物事に自主的に取り組めば、自然と知識や集中力を養うことができます**。つまり、「集中力が長続きしないなぁ」と悩む社会人の方も、いまから好きなことの勉強を通じて集中力を養うこともできるのです。

ゲーム感覚で楽しむと、勝手にレベルが上がっていく！

自主的、かつ効果的な勉強をするには、まず目標を決めることが必要です。目標を立て、それに向かって努力した結果、目標が達成できれば、喜び、充実感を味わえます。

そして、このような**成功体験を味わえば、目標を立て、それに向かって努力するプロセスに抵抗感がなくなる**のです。

では、そのためには何をすればよいのでしょうか。

達成すべき目標には2種類あります。長期的なものと短期的なものです。まずは短期的な目標クリア習慣を身につけましょう。

たとえば、簡単な問題集を解く際にゲーム性を持たせるだけでも、大きな効果が得られます。

簡単な計算問題の場合、1問20秒以内と制限時間を設定し、その時間内にノーミスで10問解けたら、その日の計算問題の勉強は終了とします。

ただし、間違えた場合は罰ゲーム。さらに10問、同じ条件で解かなければなりません。それをノーミスで終わるまで繰り返すわけです。

こうしたルールを設けて、**ゲーム感覚で勉強すると、成功したときの達成感が手軽に得られます**。そして、**勉強に対する自主性も自然と強まっていく**わけです。

また、最近では英単語や漢字の勉強ができるアプリゲームもありますから、それらを勉強の代わりにするのもいいでしょう。これは文字どおりゲーム感覚で進められますので、勉強に飽きが来ません。

こうした成功体験が重要であるとの考えは、私の実体験に基づいています。

「はじめに」でも触れたように、私は子どものから勉強が好きだったわけでもないですし、いまでも好きかといえば、実はそうでもありません。むしろ、嫌いなほうです。

ただし、自主的な勉強に対する抵抗感はありません。その理由は、学生時代に家族から「勉強しなさい」と言われたことが一回もなかったからです。

そのうえで、私の子どものころのおこづかいは、大人の世界になぞらえれば、定期収入ではなく、成果報酬型でした。テストや習い事で結果を出せば、ご褒美がもらえたのです。

私は天才と呼ばれる部類ではまったくありませんから、試験で高得点を取るためには勉強するしかありませんでした。ですから、勉強に対しては「目標を達成するためにやらねばならないこと」ぐらいの認識しかなかったのです。

それが、いつのまにか習慣化し、だんだんと勉強がゲーム感覚になっていきました。試験でいい点数を取れば、それだけご褒美がもらえたわけですから、まさに**ロールプレイングゲームの主人公になったかのように、どんどん勉強のレベルを上げることに熱中した**のです。

もうひとつ、重要なのが長期的な目標です。

この長期目標の設定はとても重要で、**目標が低すぎた場合、簡単に達成できてしまうため、大した努力もしないで終わってしまう**でしょう。これでは勉強習慣など、到底身につきません。

かといって、目標を高くしすぎるのも考えもの。いくらやっても山の頂上どころか、中腹すら見えなければ、やる気は衰える一方です。やはり勉強を習慣化することは難しいでしょう。

ですから、**目標は低すぎず高すぎず、容易には達成できないけれど、反面、いつか必ず達成できるという位置に設定しなくてはなりません**。

たとえば「英語を話せるようになる」という目標を立てたとしましょう。

この「英語を話せる」という状態は、少々漠然としすぎです。かといって、ネイティブスピーカーとまるで日本語で話すように英語で会話するというのは、ちょっと遠大すぎる目標でしょう。

このように、絶妙な目標を一発で決めることは、なかなかできません。ですから、まずは、あいさつくらいできるようになる。それから、日本に来た海外からの観光客を英語で案内できるようになる、といったように、何度も目標を設定し直しつつ慣れていくのがちょうどいいやり方でしょう。

それを繰り返していくうちに、目標達成に要する時間やそれに対する自分の現状の実力が客観的に見られるようになり、やがて絶妙な目標設定ができるようになるわけです。

目標設定のコツは意欲と難易度のバランス

絶妙な目標を設定するコツは、目標の難易度とそれを達成したい意欲とのバランスを調整すること。目標が高くなればなるほど、それに比例するように目標達成意欲も高くなければなりません。

たとえば、医師や弁護士になるのが目標なら、正直、人生でこれ以上ないくらいの強烈な意志と覚悟を持たなければ、試験に受かるのは難しいでしょう。

もちろん、これは極端な例ですが、要するに目標を設定する際には、その目標を達成したい意欲が自分にどの程度あるのか、しっかりと見つめる必要があるということ。「○○大学に入りたい」「○○の資格を取りたい」という目標を立てたうえで、自分の気持ちを改めて確認してみてください。

「何が何でも○○大学に入りたい！」「今年中に絶対○○の資格を取る！」という〝熱い〟想いがわき起こってきたら、目標設定と意欲のバランスが取れているということ。そのまま目標に向けて勉強を進めていきましょう。

反対に、**「○○大学に入れたらうれしいけど、自分の実力を考えたら△△大学でもいいや」「今年は難しいだろうから、3年後に○○の資格が取れればいいでしょう」という心持ちでしたら、目標達成はまずムリ**でしょう。

とりわけ資格試験合格を目指している場合は、「絶対に今年中に合格するぞ」という強い意思があれば、1年間という限られた時間しかないわけですから、勉強を集中して、かつ効率的にするようになります。

そうすると、必然的に勉強の効果が上がり、**1年間で合格できるだけの実力がつく可能性が高まる**わけです。

他方、「3年後に合格できればいいや」くらいの気持ちならば、時間的余裕に甘えてしまい、勉強に身が入らないでしょう。そうすると合格するだけの実力が、いつまでたってもつきません。たとえ3年という猶予があったとしてもです。

ただし、仕事が忙しくて時間がないという場合は、3年後、5年後という超長期計画を立てるのもいいでしょう。その代わり、「絶対に3年後に合格する」といったように、**目標の前に「絶対に」という言葉をつけなければなりません**。

そうしないと、意思がくじけやすくなるだけにとどまらず、勉強量や勉強方法、勉強スケジュール、集中力などなど、さまざま面で、〝遅れ〟が生じるからです。とにかく、自分のできることと、達成したいことのバランスをとることこそが大事だといえます。

計画を立てると勉強の指針も明確になる！

さて、目標を設定したら、達成までの計画をざっくり立ててみましょう。このとき、目標から逆算しつつ、区切りとして小さい目標を合間、合間にはさんでみると全体の計画も立てやすくなると思います。

私の場合はロースクールに入学してからの2年間、司法試験本番までに次のようなスケジュールを立てました。

まず、「4時間目」でも説明したように、司法試験には記述式とマークシート方式双方の試験があります。記述式の試験は法律科目が7科目あり、マークシート方式の試験は法律科目が3科目です。

「はじめに」でも書いたように、私は弁護士を目指すことを決めたのが人より遅く、その分勉強も遅れていたので、**周りになんとしても追いつき、ビリでもいいから一発**

で合格することを目標に設定しました。

そして実際、ゴールから逆算して時間を計算したところ、当然のことながら、ムダな勉強するヒマは一瞬もなく、効率よく勉強を進めなければ、とてもではありませんが受からないことが改めて判明します。そこで、最初に行ったのが、前の「4時間目」で紹介した過去問分析、検討だったのです。

一方、合間、合間の小さな目標は、定期的に行われるロースクール内の試験で好成績を取ることと設定しました。実は、私が通っていたロースクールでは、院内の試験の成績と司法試験合格者に相関性があったことを知ったのです。

つまり、小さな目標として設定した院内テストで高い点数を取れれば、データ的にも司法試験合格の確率が高まるということ。これが一種の安心材料となり、モチベーションの維持にもつながったのです。

このように、**ざっくりでもいいので計画を立てることによって、勉強の指針が明確**

になっていきます。また、社会人の方はご存じのことだと思いますが、**目標から逆算してプロセスを組み立てることは仕事でも大事な要素**です。ですから、こうしたことを早い段階から考えておくと、将来においてもとても役に立つはずでしょう。

以上のように、目標を設定し、その達成のためのスケジュールを立てることにより、臨機応変性も養うことができます。

なぜなら、**目標は常にひとつではない**からです。学生であれ社会人であれ、同時に目標が複数あることなど当たり前ですから、そのどれをも達成しようとすると、各々のスケジュールを調整しなくてはなりません。

学生でしたら、部活の目標、習い事の目標、学業の目標などが並行していることでしょう。ですから、今週は試合が近い部活を優先し、その分来週と再来週で、勉強の遅れを一気に取り戻すといったように、それぞれのスケジュールを上手に組み合わせなければなりません。

ただし、早いうちにそういう経験を積んでおけば、将来社会人になり、仕事の目標

（ノルマ）に押しつぶされそうになっても、冷静にスケジュール管理ができるようになるでしょう。いわゆる要領がいい、段取りがいい人になれるのです。

反対に、このような目標設定をせず、ただなんとなく過ごしてしまうと、複数どころか、たったひとつの目標ですら達成できないでしょう。

目標への道は、誰かが用意してくれるわけではありません。ふもとから山頂への道は無数にあります。そのなかからベストのルートをたどるためには、綿密な準備が必要になってくるのは当然のこと。

目標への道半ばで〝遭難〟しないためにも、スケジュールの管理には常に気を配っておきたいものです。

超ズル賢い勉強法 18

好きなことにのめり込むと、勉強のスタート地点が違ってくる！

学習者の理想像は「鉄ちゃん」である！

本書では「1時間目」から「5時間目」に至るまで、基本的に「勉強」という言葉を、国語・算数・理科・社会をはじめとする学校の科目や、あるいは資格試験などに出題される問題といったような、机にかじりついてやるようなイメージのものとして取り扱ってきました。

しかし、**本来「勉強」の対象となるものは、学校の科目や試験に出る分野だけではありません**。自分が興味あることに熱中し突き詰めることも、また同じく勉強となるのです。

たとえば電車に興味があり、その種類や、車両の変遷、運行状況を自ら調べる。いわゆる「鉄ちゃん」としての当たり前の行動も、立派な勉強といえるでしょう。

なぜなら、このように**自分が好きなことに熱中することによって、歴史や社会、経済、政治などなど関連する部分の知識も身につき、結果、頭の中のさまざまな〝引き出し〟も増えていく**からです。

「乗り鉄」であれば、日本各地を回ることになるでしょう。その結果、電車や路線だけでなく、地名や地域の知られざる名産品、あるいは郷土のヒーローなども知ることもできるのです。

こうした知識を、たとえば地理や日本史といった勉強、あるいは社会学や文化人類学といった学問に結びつければ、学ぶこと自体がどんどん楽しくなること、間違いありません。

このように、自分が好きなことに熱中し突き詰めることによって、周辺の知識や学習能力も自然とつけることができるのです。これは非常に有意義な「勉強」だといえるでしょう。

「遊び」こそが、勉強力の基礎となる!

また、興味あることに熱中し突き詰めることは、実はいわゆる学校の「勉強」をするための基礎づくりにも役立ちます。

勉強には、目標と自主性と集中力が必要だと繰り返し述べてきました。これらはすべて、興味があることに熱中し突き詰めること、すなわち一心不乱に遊ぶことで身につけることができるのです。

自分が子どものころを思い出してみてください。

遊んでいるときの集中力には、目を見張るものがありませんでしたか。前にも述べたように、私は無類の野球大好きっ子だったため、文字どおり朝から晩まで友だちと野球ざんまいでした。それこそ時間を忘れて、休憩も取らずひたすら野球をしていたのです。

あるいは、やはり子供のころ、ポケモンが大流行していました。こちらにも、ものすごくのめり込んでいたため、マップや、ポケモンが覚える技とレベル、アニメの主題歌などは、知らず知らずのうちに覚えてしまったのです。

とくに覚えようと意識していたわけではありません。本当にポケモンにハマっていたからこそ、自然と覚えてしまったのだと思います。

このように、私は子どものころに好きなことを好きなだけやったことで集中力を養うことができ、そのおかげで、司法試験の勉強も集中してやりきれたのだと確信しています。

逆に言うと、好きなことに熱中すること以外で集中力を養ったと実感できた記憶などありません。

もし、好きなことを好きなだけできず、それほど興味のない学校の勉強をさせられていたら、こうした集中力を身につけることはできなかったでしょう。

以上のように、国語・算数・理科・社会を学ぶことだけが勉強ではないということが、おわかりになられたのではないでしょうか。むしろ、子どものころは好きなことはとことん突き詰めて、集中力をはじめとする勉強に必要な力の土台づくりにこそ、時間をつぎ込むべきだと思います。

この経験があるかないかで、勉強のスタート地点がまったく違ってくることを、私自身、身をもって知っているからです。

超ズル賢い勉強法 19

「時短勉強法」を意識するだけで頭の回転がどんどん速くなる！

時間をひねり出すことで論理的思考力が高まる！

これまで本書で紹介してきた、いわば「時短勉強法」を実践すると、勉強が抵抗なく継続できるだけでなく、頭の回転がどんどん早くなるという大きな「おまけ」がついてきます。

なぜなら、本書の勉強法を実践しようとする際には、非常に頭を使うことになるからです。

もっとも、「意識的に頭を使わなきゃ」と、考える必要はありません。そうではなく、無意識のうちに勝手に脳がフル回転している状態になるだけですから、頭を使うことには何ら負担もありません。頭は使えば使うほど、慣れによって脳の回転が速くなっていくのです。

では、本書の勉強法を実践する際、具体的にどのように頭を使っているのでしょうか。次の4つのポイントを確認してみましょう。

- **スケジュールを組み立てるとき**
- **すき間時間を見つけるとき**
- **勉強の環境づくりを考えるとき**
- **勉強の効率化を考えるとき**

まず、勉強に取りかかる前に、勉強時間をつくるためのスケジュール作成が必要となります。このスケジュールを組み立てるという作業では、「1時間目」でも説明したように、時間の優先順位を考えなければなりません。

そして、目標のために、どのように時間をひねり出すのか。それらを考えるのに、**非常にロジカル、かつ長期的な視点で、思考を深めていくこと**になるわけです。

勉強する前から頭を使っているという驚きの事実

次に、スケジュールを組み立てたら、すきま時間を見つけます。このすきま時間を見つけるという作業自体は単純です。スケジュール表のブランクを、そのまま埋めていけばいいわけですから。

ただし、そこでどのような勉強をすべきかについては、考えをめぐらせなければなりません。そうでないと、せっかく見つけたすきま時間、合間時間も、結局はムダに終わってしまうわけです。

さらに、どのような環境で勉強するのが効果的か、自分にあった〝場所〟を見つけなければなりません。これも、さまざまな環境下で勉強をしてみて、自分にはどのようなスタイルが向いているか、考える必要があります。

もちろん、「勉強は机で」という既成概念を、頭の中から取っ払うのもまた、一種の脳トレとなります。

そして最後の勉強の効率化。

こちらはある意味、一番重要な思考といえるでしょう。本書で紹介してきたような私の例などを参考にしながら自分なりの効率化ができれば、間違いなく頭の回転スピードも上がるとともに、生活のメリハリがはっきりとつくことでしょう。

それにより勉強がますます楽しくなること、こちらも本書で説明したとおりです。

このように、実際に勉強に取りかかる前に、すでにかなり頭を使っていることに気づくのではないでしょうか。当たり前の話ですが、「頭を使っている」ということは、すなわち「考えている」ということになります。

本書では、勉強するときは決してルーティンワークのように流さずに、常に「考える」「思考する」のが重要だと説明してきました。と同時に、実は勉強していないときでも「考える」「思考する」ということは可能なのです。

本書の勉強法を実践すれば、四六時中頭を使って考えているということになります。遊んでいるときも、勉強しているときも、徹底的にボーっとしている時間以外は常に頭はフル回転できるのです。その結果、脳ミソも常に休みなく刺激を受けることになります。

以上のように、**常に頭を使っている状態になるということは、日常生活でも常に脳が即座に回転しだすアイドリング状態にあるということ**。それを日々繰り返すことになるため、頭の回転がどんどん速くなるのです。

本書で紹介した「超ズル賢い勉強法」の数々を、ぜひさまざまな場面で実践してみてください。

COLUMN 5

司法試験って本当のところどうなの？

偉そうに言うつもりはないけど、人生において大事なふたつのこと

私が思うに、司法試験をはじめとするさまざまな試験や仕事、これらすべてに共通して大事なことは「素直さ」と「仲間がいること」です。

勉強するにしても仕事をするにしても、すでに経験済みの先輩がいることでしょう。そうした人からのアドバイスを素直に聞くのが、成功への大きなポイントとなります。

経験というものは当たり前ですが、時間をかけないと得られません。ところが、先輩からの話を聞くだけで、そうした「蓄積」を一瞬にして自分のものに

できるのです。
つまり、これも本書で何度も述べてきた効率のいい勉強法のひとつだということ。自分のやり方があっても、とりあえず素直に他人のアドバイスを取り入れてみましょう。取り入れたうえで自分の性格に合わなければ、やめればいいだけです。

私にとって、最大のアドバイスが「司法試験勉強では、過去問分析を絶対やるべき」だというものでした。本文でも述べたように、大学受験時代は過去問分析をバカにしていましたが、この先輩の教えを素直に聞いたおかげで、間違ったベクトルの勉強をせずに済んだのです。

そして、もうひとつ忘れてはならないのが仲間の存在。勉強するにも仕事をするにも、仲間は本当に大事です。お互いにグチや悩みを言い合うだけでも気がラクになりますし、友人だからこそ、細かい指摘や自分の性格に合ったアドバイスをしてくれます。

さらに自分ひとりで勉強や仕事をすると、ついつい〝サボりの誘惑〟に負けてしまいがちですが、仲間がいれば逆に切磋琢磨《せっさたくま》することができるわけです。

自分自身、仲間がいなかったら司法試験に合格することはありえなかったと断言できるほど、その存在は大きいものがありました。

「勉強はひとりでするもの。自分以外はみな敵だ」

そう思ってしまう方もいるかもしれません。ですが、先輩や仲間といった他人の言葉や考えは、必ずや新鮮な視点を与えてくれるはずです。

悩んだり、つまずいたりしていたら、試しに友人や先輩にアドバイスを求めてみる。これも、成長のために必要なステップだと思います。

おわりに

本書をお読みいただきありがとうございました。

おわかりいただけたように、私は天才ではありませんし、勉強についてのしくじりも人並みに経験しています。

そんな平凡な頭脳の私でも、時間と勉強方法を効率化すれば、天才がしのぎを削る司法試験を突破できました。つまり、天才を追い越すことはかなわないかもしれませんが、なんとか追いつくことは可能なのです。

ですから、本書で紹介した勉強法は、「いや、そういわれても、もともとのポテンシャルがないとムリでしょ」というような、ぶっ飛んだ方法ではなかったと思います。むしろマネしようと思えば、今日からでも実践できるような方法ばかりだったのではないでしょうか。


もちろん本書の勉強法を、そのままそっくりマネする必要などありません。試してみて「もっとこうしたほうが自分としては効率化できるな」「こっちのやり方のほうが、自分のライフスタイルに合っているかも」と思えば、どんどんアレンジして自分オリジナルの勉強法を確立してください。

ただし、本書の勉強法をマネるにせよ、参考にしてアレンジするにせよ、大切なことは共通しています。それは「常に頭を使い考えること」と「目標に向かって努力すること」です。

本書では、このふたつに関して実践できる方法を随所にちりばめてはいますが、最後はどうしても個々人のメンタルに依存せざるをえません。ですから、ここで改めてみなさんも、この点を心にとどめてほしいと思います。

昨今は教育改革の遂行やＡＩの発展が目覚ましく、ますます「考えること」が重要になっています。仕事をするうえで「頭を使わない人」「考えることをしない人」は、この先ＡＩに仕事を奪われる可能性だってあるわけです。

「頭を使う、考える」ことを常に行うためには、そのことを習慣化する、当たり前化するしかありません。本書をきっかけに「頭を使って考える」ことを意識していただ

おわりに

ければ幸いですし、私も自戒の意味も込めて、これからも考え続けることを意識したいと思います。

最後になりましたが、本書の企画に際し多大なサポートをしていただいたネクストサービス株式会社の松尾昭仁様、そして本書の刊行に際し多大なサポートをいただいた株式会社ビジネス社の大森勇輝様に心よりお礼申し上げます。

2020年8月吉日

藪田崇之

[略歴]

藪田崇之（やぶた・たかゆき）

弁護士。1990年、静岡県浜松市生まれ。浜松北高校卒業後、1浪で中央大学法学部入学。同大卒業後、慶應義塾大学法科大学院に進学。同大学院修了後、司法試験に1発合格。主にベンチャー企業の創業支援業務に携わり、専門性の高さ、スピード感のある対応から、始業わずか1年でベンチャー企業5社との顧問契約を獲得するなど、紹介の絶えない弁護士として定評がある。「誰にでもわかりやすい説明」を強みに、全国から寄せられる年間350件を超える電話法律相談にも対応しアドバイスを行う。2020年7月、初の単著『起業家が知らないとヤバい 契約書の読み方』（秀和システム）を刊行。

企画協力：ネクストサービス株式会社 松尾昭仁

超ズル賢い勉強法

2020年9月1日　　　　第1刷発行

著　者　藪田 崇之

発行者　唐津 隆

発行所　株式会社ビジネス社

〒162-0805　東京都新宿区矢来町114番地 神楽坂高橋ビル5F
電話　03（5227）1602　FAX　03（5227）1603
http://www.business-sha.co.jp

〈装幀〉椋本完二郎
〈本文組版〉エムアンドケイ　茂呂田剛
〈印刷・製本〉三松堂株式会社
〈編集担当〉大森勇輝　〈営業担当〉山口健志

ISBN978-4-8284-2164-3